D1584359

Paris gourmand, Paris craquant !

FIRST
Editions

© Éditions First, 2008

Le Code de la propriété intellectuelle interdit les copies ou repro-
ductions destinées à une utilisation collective. Toute représentation
ou reproduction intégrale ou partielle faite par quelque procédé
que ce soit, sans le consentement de l'auteur ou de ses ayants
cause est illicite et constitue une contrefaçon sanctionnée par les
articles L. 335-2 et suivants du Code de la propriété intellectuelle.

ISBN : 978-2-7540-0776-4

Dépôt légal : 2ᵉ trimestre 2008
Imprimé en Italie
Édition : Élodie Le Joubioux
Mise en page : ReskatoЯ 🐌
Conception couverture : BleuT

Nous nous efforçons de publier des ouvrages qui correspondent à
vos attentes et votre satisfaction est pour nous une priorité.
Alors, n'hésitez pas à nous faire part de vos commentaires à :

Éditions First
2 ter, rue des Chantiers, 75005 Paris
Tél. : 01 45 49 60 00
Fax : 01 45 49 60 01
e-mail : firstinfo@efirst.com

En avant-première, nos prochaines parutions, des résumés de tous les
ouvrages du catalogue. Dialoguez en toute liberté avec nos auteurs et
nos éditeurs. Tout cela et bien plus sur Internet à www.efirst.com

Introduction

« La gourmandise est un acte de jugement, par lequel nous accordons la préférence aux choses qui sont agréables au goût sur celles qui n'ont pas cette qualité », énonce doctement Jean Anthelme Brillat-Savarin (1755-1826), dans son livre *La Physiologie du goût. À l'usage du gastronome parisien.*

Assurément, Paris est la ville des gourmands avec plus de 8000 commerces de bouche : boulangeries, pâtisseries, confiseries, charcuteries, boucheries, traiteurs, poissonniers, primeurs, fromageries, caves... proposent des spécialités régionales et du monde entier.

Il y a les adresses parisiennes dont le nom fait le tour du monde. Il y a celles d'ici et d'ailleurs, des boutiques de tous les jours, des grands jours ou du dimanche. Elles sont grandes, moyennes ou petites, chics ou simples, elles sont uniques ou dupliquées et elles ont l'art et la manière d'accueillir les gourmets. Elles résistent aux modes et résisteront à la grande distribution, elles font aussi la renommée de la gastronomie française et donnent à Paris un charme polyglotte. Beaucoup sont artisanales, tenues par des passionnés au savoir-faire rare. Paris gourmand, Paris craquant vous propose donc une sélection d'adresses goûteuses, que l'on recommande, où l'on a envie de retourner ou dont on aime prendre des nouvelles. Succombez à la gourmandise !

1er ARRONDISSEMENT

PARIS - 1er

① L'Écume Saint-Honoré
② Mora

Ⓐ Rue de Rivoli
Ⓑ Place Vendôme
Ⓒ Rue Etienne Marcel
Ⓓ Jardin des Halles

Ⓔ Boulevard de Sébastopol
Ⓕ Place du Châtelet
Ⓖ Rue du Louvre
Ⓗ Jardin des Tuileries

L'ÉCUME SAINT-HONORÉ

Poissonnerie – bar à huîtres, sur le pouce

Une petite adresse que l'on aimerait avoir près de chez soi : on y entend les mouettes, le patron est sincère, il a un beau sourire et la fraîcheur de son étalage assure d'une belle expérience gustative. Côté coquillages, devant les paniers, la tentation est grande. Ce patron a donc installé une rangée bien agencée de mange-debout avec des chaises appropriées et confortables. Des formules ou une carte permettent de déguster l'arrivage quotidien. Ça donne le sourire au patron, à son équipe et à ses clients.

Dans le panier : des coquillages et des crustacés.

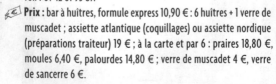**Adresse :** 60 rue du Marché-Saint-Honoré. M° : Pyramides. Tél. : 01 42 61 93 87.

Prix : bar à huîtres, formule express 10,90 € : 6 huîtres + 1 verre de muscadet ; assiette atlantique (coquillages) ou assiette nordique (préparations traiteur) 19 € ; à la carte et par 6 : praires 18,80 €, moules 6,40 €, palourdes 14,80 € ; verre de muscadet 4 €, verre de sancerre 6 €.

(?) **Quand ?** Du mardi au jeudi, boutique de 9 h 30 à 20 h, dégustation de 11 h à 19 h ; le vendredi et le samedi, boutique de 9 h 30 à 22 h, dégustation de 11 h à 22 h.

MORA

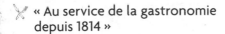

« Au service de la gastronomie depuis 1814 »

Plus de 5 000 références en ustensiles de pâtisserie et de cuisine, en coutellerie, appareils et machines, décors, vaisselle jetable… bref, exactement tout ce qu'il faut pour révéler le cordon-bleu qui sommeille en chacun de nous.

Dans le panier : des moules à cannelés, des emporte-pièce fleurs, un couteau effilé.

→ **Adresse :** 13 rue Montmartre. M° : Les Halles, sortie Rambuteau. Tél. : 01 45 08 19 24 ou www.mora.fr

Prix : moule à cannelé 2,03 € ; 3 emporte-pièce ou découpoirs fleur 3,47 € ; couteau de cuisine 20,37 €.

(?) **Quand ?** Du lundi au vendredi de 9 h à 18 h 15 ; le samedi de 8 h 30 à 13 h et de 13 h 45 à 17 h.

2ᵉ ARRONDISSEMENT

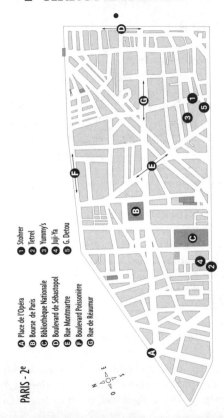

PARIS - 2ᵉ

- **A** Place de l'Opéra
- **B** Bourse de Paris
- **C** Bibliothèque Nationale
- **D** Boulevard de Sébastopol
- **E** Rue Montmartre
- **F** Boulevard Poissonnière
- **G** Rue de Réaumur

- **1** Stohrer
- **2** Tetrel
- **3** Yummy's
- **4** Juji-Ya
- **5** G. Detou

STOHRER

 Pâtisserie traiteur

Pâtissier de la reine depuis 1730… Dans cette rue gourmande, deux raisons de s'arrêter : la façade classée et les gâteaux. Il faut dire que le puits d'amour, la religieuse à l'ancienne, le baba au rhum et le millefeuille sont des hymnes à la gourmandise.

Dans le panier : 2 brioches et 2 puits d'amour.

➻→ **Adresse :** 51 rue Montorgueil. M° : Châtelet–Les Halles. Tél. : 01 42 33 38 20 ou www.stohrer.fr

Prix : le croissant 1 € ; la brioche 1,10 € ; le puits d'amour 3,40 €.

Quand ? Tous les jours de 7 h 30 à 20 h 30.

TETREL

 Confiserie de tradition

Mme Tétrel et maintenant son fils enchantent les palais du quartier. Dans la boutique, depuis 1930, berlingots, boules de gomme, pralines, chocolats et

autres friandises sont rangés dans de jolis paquets sur les comptoirs. Pour les gourmets, un choix de biscuits fins : tuiles, spéculos, cigarettes russes et madeleines.

 Dans le panier : des bonbons et des biscuits.

Adresse : 44 rue des Petits-Champs. M° : Pyramides.
Tél. : 01 42 96 59 58.

Prix : paquet de bonbons à partir de 2,60 €.

Quand ? Du lundi au samedi de 9 h à 20 h.

YUMMY'S

 Fine food from Britain

Sky ! But, where are my baked beanz ?! Dans cette petite boutique tirée à quatre épingles, des étagères de chips, de bagels, de biscuits, de porridges, de muffins, de chutneys, de pickles, de sauces, de currys, des cidres, des bières… Et des marques mythiques : Baxters, Bird's, Haywards, Heinz, Mc Dougalls, Sarson's, Scotts, Wallers…

Dans le panier : des biscuits, du porridge, des chips et des Baked Beanz.

Adresse : 8 rue Mandar. M° : Sentier. Tél. : 01 42 33 55 17

Prix : la boîte de Baked Beanz 1,20 € ; biscuits Mc Vilie's 2,80 € ; porridge Scotts 4,99 €.

Quand ? Du mardi au samedi de 10 h 30 à 19 h.

JUJI-YA

Épicerie – cantine japonaise

Le quartier ressemble à un îlot détaché de l'archipel nippon avec ses restaurants et ses épiceries. Notamment cette boutique qui serait identique à Londres ou à New York : une petite épicerie cantine. Dans la première salle, un grand tableau indique 7 menus. La cuisine, maison, se présente sur un comptoir pour emporter ou manger sur place. Au premier étage, le modèle réduit du supermarché japonais : selon le patron, 95 % de l'alimentaire japonais est là, classé et rangé. Au deuxième étage : des centaines de préparations en sachets pour les repas sur le pouce. Les avertis apprécient, les novices n'en reviennent pas.

 Dans le panier : du riz, des algues et du thé.

➝ **Adresse :** 46 rue Sainte-Anne. M° : Quatre-Septembre. Tél. : 01 42 86 02 22.

💶 **Prix :** menus entre 8 et 10 € (un plat et 3 assortiments) ; soupe miso 1,20 € ; thé vert Sancha, le verre 1,80 €.

❓ **Quand ?** Du lundi au samedi de 10 h à 22 h ; le dimanche et les jours fériés de 9 à 21 h.

G. DETOU

 ## Épicerie de tradition

Depuis 1951, les produits choisis par cette épicerie sont issus de producteurs. Elle sert les professionnels et les particuliers, qui bénéficient alors de prix intéressants sur des marchandises quelquefois plus onéreuses en supermarché. Une mention pour tous les produits qui promettent des desserts tout en saveurs : des pots de pétales de fleurs cristallisés ou de menthe, des pépites de chocolat, des marrons glacés, des sacs d'amandes effilées, de noisettes, de noix de coco râpée, des boîtes de fruits au sirop… Et tous les produits de base : épices, champignons secs, fruits secs, noix…

🧺 **Dans le panier :** des pétales de violette et de menthe cristallisés, 1 kg de noix concassées, des amandes, des pommes, des fraises, des abricots…

➙ **Adresse :** 58 rue Tiquetonne. M° : Étienne-Marcel.
Tél. : 01 42 36 54 67.

✐ **Prix :** pot de pétales cristallisés 125 g de 9 à 11 € ; vermicelles au chocolat 1 kg 6,50 €.

(?) **Quand ?** Du lundi au samedi de 8 h 30 à 18 h 30.

3e ARRONDISSEMENT

PARIS - 3e

1 Au levain du Marais
2 Goumanyat
3 Bio moi
4 Marché couvert des Enfants-Rouges
5 Jouannault

Ⓐ Place de la République
Ⓑ Boulevard de Sébastopol
Ⓒ Rue des Francs-Bourgeois
Ⓓ Rue de Turbigo
Ⓔ Boulevard Beaumarchais
Ⓕ Rue du Temple
Ⓖ Rue de Turenne

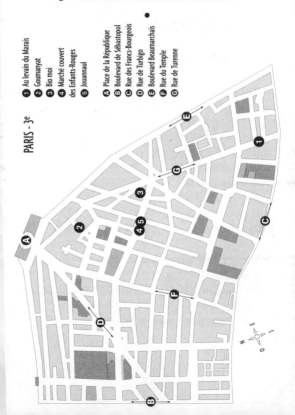

AU LEVAIN DU MARAIS

Maître boulanger de tradition

Pétri avec passion, avec des farines et du levain naturels, dans le respect de la tradition et avec un vrai savoir-faire, qu'il soit de campagne, complet, de seigle, blanc, aux céréales… le pain a ici une saveur d'antan qu'il ne faut jamais oublier.

Les viennoiseries sont au bon beurre et bien sûr absolument délicieuses. Les pâtisseries sont sincères et aguichantes. L'accueil est sympa.

 Dans le panier : des pains et des viennoiseries.

➺ **Adresse :** 32 rue de Turenne. M° : Chemin-Vert. Tél. : 01 42 78 07 31 ou www.conseil-boulangerie.com

 Prix : croissant 0,85 € ; pain au chocolat 1,10 € ; chausson aux pommes 1,40 €.

 Quand ? Du mardi au samedi de 7 h à 20 h.

GOUMANYAT

✗ Épicerie fine

«Spécialisée dans le travail et la commercialisation de produits végétaux aromatiques naturels à usage alimentaire.» Un seul mot d'ordre : la qualité. Safran, épices, aromates, vanille, thés, cafés et chocolats, sels, vinaigres, huiles et condiments, miels, sucres, farines, céréales, riz, jus de fruits, vins fins, liqueurs et spiritueux, champagnes ainsi que des ustensiles de cuisine, pour cuisiner, recevoir ou offrir.

Dans le panier : du sucre roux de canne antillais, de la vanille malgache.

➡ **Adresse :** 3 rue Charles-François-Dupuis. M° : Temple ou République. Tél. : 01 44 78 96 74 ou www.goumanyat.com

Prix : 1 kg de sucre roux 3,70 € ; 5 gousses de vanille 7,20 €.

(?) **Quand ?** Du mardi au vendredi de 14 h à 19 h ; le samedi de 11 h à 19 h.

BIO MOI

✕ Superminimarché bio

Une boutique fraîche et dynamique, mauve et anis, qui aligne fièrement une bonne sélection de produits frais, d'épicerie et de préparations bio.
Bio Moi, pour s'occuper de soi, se décline en 3 thèmes : mon corps, mon frais et mes fruits et légumes. Toutes les tentations ont alors plusieurs raisons d'être bonnes. Ouf !

 Dans le panier : le dîner, soit des pâtes complètes, de la crème fraîche et des lardons, et un ananas en dessert.

➟ **Adresse :** 35 rue Debelleyme. M° : Filles-du-Calvaire. Tél. : 01 42 78 03 26.

💶 **Prix :** céréales 300 g 4,60 € ; 2 yaourts 3,90 € ; pâtes 3,20 €.

❓ **Quand ?** Du mardi au samedi de 10 h à 20 h ; le dimanche de 10 h à 14 h.

MARCHÉ COUVERT DES ENFANTS-ROUGES

 Coloré et convivial

Le plus vieux marché couvert de Paris et sans doute l'un des plus anciens de France. Sous sa charpente métallique, on y vient aussi pour grignoter dans l'une des gargotes où les traiteurs marocain, asiatique, afro-antillais, cajun, italien ont installé quelques tables et des petites terrasses.

 Dans le panier : des saveurs du monde.

➻ **Adresse :** 39 rue de Bretagne. M° : Filles-du-Calvaire.

Prix : Marocain assiette de couscous entre 6,90 € et 12,50 € ; tajine entre 8,90 € et 12,50 €. Antillais Afro Cajun plats de 7 € à 11 € ; Ti Punch et 4 accras 5 € ; gingembre chaud ou froid 2 €…

Quand ? Du mardi au samedi de 8 h 30 à 13 h et de 16 h à 19 h 30 ; le vendredi et le samedi de 9 h à 20 h ; le dimanche de 8 h 30 à 14 h.

JOUANNAUL

Maître fromager affineur

Tandis que Monsieur affine un camembert au calvados et un époisses de Bourgogne, Madame choisi les chèvres, pouligny, chardin, tarentais, lingots, roncie quercy et autre palet… Madame et Monsieur se sont mis d'accord sur les fromages de vache, plus particulièrement les persillés avec 7 roqueforts et 9 bleus… Leur fille, elle, a préféré de goûteux fromages des alpages. Une fromagerie qui affiche donc sérieusement ses goûts et qui en rigole bien.

Dans le panier : un Pouligny et un Beaufort d'Auvergne.

Adresse : 39 rue de Bretagne. M° : Filles-du-Calvaire.
Tél. : 01 42 78 52 61.

Prix : Pouligny 6,80 € ; Beaufort 250 g 5,75 €.

Quand ? Du mardi au samedi de 8 h à 19 h et de 16 h à 19 h 45 ; le dimanche de 8 h à 13 h.

4ᵉ ARRONDISSEMENT

PARIS - 4ᵉ

Ⓐ Boulevard Henri V
Ⓑ Rue Saint-Antoine
Ⓒ Boulevard de Sébastopol
Ⓓ Quai de l'Hôtel de Ville
Ⓔ Rue des Francs-Bourgeois
Ⓕ Boulevard Bourdon
Ⓖ Rue de Rivoli
Ⓗ Rue Beaubourg

❶ Jean-Paul Gardil
❷ Pascal Trotté
❸ Aux caves Saint-Antoine
❹ Nysa
❺ Florence Finkelsztajn
❻ Pozzetto
❼ Grand Appétit
❽ Le Loir dans la théière

JEAN-PAUL GARDIL

 Boucherie

Voici une petite boucherie d'un autre temps, qui subsiste pour le vrai bonheur des insulaires. La qualité est de rigueur et, devant l'étal, les garçons bouchers découpent escalopes et filets d'un coup de main assuré. De belles volailles, la spécialité de la maison, de Bresse et de Lorraine, de beaux morceaux de bœuf du Limousin et du veau de Lozère élevé sous la mère. M. Gardil a gagné en 2007 la médaille d'argent pour sa saucisse sèche au canard ; son fils compte bien prendre la relève. L'accueil est sincère et jovial.

Dans le panier : une volaille et une saucisse sèche au canard.

Adresse : 44 rue Saint-Louis-en-l'Île. M° : Pont Marie ou Sully Morland. Tél. : 01 43 54 97 15.

Prix : 2 escalopes de dinde 7,90 €.

Quand ? Du mardi au samedi de 9 h à 12 h 45 et de 16 h à 19 h ; le dimanche de 9 h à 12 h 30.

PASCAL TROTTÉ

 Fromager affineur

Pascal Trotté parle comme un poète de ses fromages, sélectionnés avec finesse et affinés pour la plupart dans ses caves sous la boutique. Son étal est convaincant et ses fromages de chèvre, ses pâtes cuites, ses fromages au lait cru et ses persillés se savourent déjà tous du regard ; le choix est délicat. Pour se déterminer, les conseils et les dégustations facilitent la tâche et, du coup, l'envie de tout prendre est grande !

 Dans le panier : des fromages de chèvre.

➤ **Adresse :** 97 rue Saint-Antoine. M° : Saint-Paul.
   Tél. : 01 48 87 17 10.

Prix : Pouligny 6,95 € ; Sainte-maure 6 €.

Quand ? Du mardi au vendredi de 8 h à 13 h et de 16 h à 19 h 45 ; le samedi de 8 h à 19 h 45 ; le dimanche de 8 h à 13 h.

LE LOIR DANS LA THÉIÈRE

 ## Salon de thé gourmand

Un lieu cosy, une carte cosy et un service cosy. Tout est dit. Pour une pause, un goûter, un rendez-vous confidentiel… l'adresse incontournable, car tous les moments y sont gourmands.

➙ **Adresse :** 3 rue des Rosiers. M° : Saint-Paul. Tél. : 01 42 72 90 61.

💶 **Prix :** thé 4 € ; pâtisserie 8,50 € ; brunch gourmand 17 € avec café, thé ou chocolat, jus de fruits frais, yaourt, toast beurrés et confiture, pain au chocolat ou croissant, œufs brouillés ou sur le plat.

⏱ **Quand ?** Du lundi au dimanche de 9 h 30 à 19 h (souvent bondé le week-end).

AUX CAVES SAINT-ANTOINE

 ## Caviste

Depuis trente-quatre ans, Michel Denoual prend toujours plaisir à tenir sa boutique et à voir ses clients fidèles ou ceux de passage, parisiens ou touristes. Il faut dire que sa petite boutique est une vraie cavothèque avec presque 5 000 références. Certains crus reposent secrètement dans les caves au sous-sol. Sa culture œnologique, ses conseils avisés et sa recherche des dernières nouveautés sont garants d'un achat judicieux. Tous ceux qui franchissent l'entrée l'ont compris.

Dans le panier : un Sancerre blanc pour un apéritif avec mes copines.

⇢ **Adresse :** 95 rue Saint-Antoine. M° : Bastille ou Saint Paul. Tél. : 01 42 72 37 49.

Prix : sancerre blanc, Maison Cherrier, 2007 : 10,90 € ; sancerre rouge, Maison Cherrier, 2006 : 12,45 €.

Quand ? Du mardi au vendredi de 9 h à 13 h et de 15 h à 20 h ; le samedi de 9 h à 20 h ; le dimanche de 9 h à 13 h.

NYSA

 Caviste

Un affichage astucieux de la bouteille de vin blanc, rosé et rouge décliné sur des plats et des instants de vie. Pour une rencontre, un grand jour, un coup de foudre, un fou rire entre copines… Il suffit de se laisser faire. Derrière ce judicieux marketing, les vins choisis proviennent de producteurs qui pratiquent une agriculture raisonnée aux méthodes naturelles. L'accueil et l'attention sont aussi de premier choix.

Dans le panier : un vin de jurançon.

→ **Adresse :** 15 rue du Bourg-Tibourg. M° : Hôtel-de-Ville. Tél. : 01 42 77 92 39 ou www.nysa.fr

Prix : Château Lapuyade 2004, 11,20 € ; « Entre copines » : Fildefer, muscadet Sèvre et Maine 2005 (encapsulé !) 4,50 € ; « Rencontre » Domaine Vincent Gaudry, le Tournebride, sancerre blanc 2005, 16,50 €.

Quand ? Du lundi au samedi de 9 h 30 à 21 h ; le dimanche de 10 h à 14 h et de 17 h à 21 h.

FLORENCE FINKELSZTAJN

Traiteur Delicatessen – Gastronomie yiddish d'Europe centrale et de Russie

Une boutique qui ne désemplit pas car, le long du comptoir, de délicieuses préparations sont à l'honneur.

Les *schmaltzherring*, des harengs cuisinés, ou les mini-*klops*, des pains de viande de bœuf ou de volaille, cuisinés aux petits oignons sont deux petits exemples de plats traditionnels et goûteux que l'on trouve ici. Les desserts variés sont également alléchants. À noter aussi : l'accueil gentil et attentionné.

Dans le panier : des schmaltzherring, des klops et une part de gâteau au fromage.

➺➙ **Adresse :** 24 rue des Écouffes (angle 19 rue des Rosiers). M° : Saint Paul. Tél. : 01 48 87 92 85.

Prix : la part de gâteau au fromage 3 € ; pain au cumin 2,50 € ; pain razowy 3 €, bagels 1,20 € ou 1,70 €.

⍰ **Quand ?** Du jeudi au mardi de 10 h à 19 h ; en juillet et en août du mercredi au dimanche de 10 h à 19 h.

POZZETTO

 Glacier

Pozzetto, c'est le goût avant tout. Sans compromis, des recettes traditionnelles, des noisettes du Piémont, des pistaches siciliennes, des citrons de Sorrente, du lait frais et aucun colorant pour des glaces et des sorbets absolument délicieux. Les gourmands seront comblés devant les pâtes à tartiner, la classique à la noisette du Piémont, au cacao ou au café… et les chocolats turinois. Les *caffès*, proposés *espresso*, *americano* (allongé), *con panna* (avec de la chantilly maison), en capuccino (avec de la mousse de lait)… sont à goûter d'urgence.

🧺 **Dans le panier :** una gelate pistaccio del redi Sicilia.

➻➤ **Adresse :** 39 rue du Roi-de-Sicile. M° : Saint-Paul. Tél. : 01 42 77 08 64 ou www.pozzetto.biz　　Voir aussi dans le 17e.

💶 **Prix :** glaces, coupes et cornets petit 3 €, moyen 4 €, grand 5 € ; espresso ou americano 2,50 € ; capuccino 4 € ; con panna 3,50 €.

❔ **Quand ?** Du lundi au jeudi et le dimanche de 10 h à 23 h ; le vendredi et le samedi de 10 h à minuit.

GRAND APPÉTIT

✗ Épicerie bio – restaurant cantine

Une boutique sans âge remplie de produits diététiques frais, secs, sains et raisonnés. Pas de clinquant, un rangement efficace, un grand choix et des conseils. Pour en savoir plus, à côté, une cantine sobre et saine présente les préparations du jour : boulettes de légumes, gratin de céréales, boulgour, légumes cuisinés et soupes selon la saison. On compose son assiette et on s'installe. Le thé ou une tisane du jour sont offerts. Les desserts aux fruits, à la cassonade, au miel se révèlent des trésors de bienfaits et peuvent être aussi bienvenus au petit déjeuner ou au goûter. Avertis, néophytes, curieux, gourmets apprécieront aussi les cours de cuisine organisés sur place.

 Dans le panier : de la farine de maïs, du miso, des fruits, de la tisane, deux parts de gâteau maison.

➝ **Adresse :** 9 rue de la Cerisaie. M° : Bastille. Tél. : 01 40 27 04 95.
💶 **Prix :** boutique, miso 180 g 5,80 € ; la part de gâteau de 2,30 à 3 € ; restaurant, la petite assiette 6,80 €, la grande 8,80 €.
❓ **Quand ?** Du mardi au samedi de 10 h à 19 h.

5ᵉ ARRONDISSEMENT

1 Chez Léon – Au cochon d'auvergne
2 Poissonnerie Monge
3 Brûlerie Maubert
4 La Route du thé
5 Levant & Co.
6 Basilico
7 Le Pirée
8 Les délices de Daubenton
9 La Nature à Paris
10 Aux Cerises de Lutèce

A Hôpital du Val-de-Grâce
B Jardin des plantes
C Boulevard Saint-Germain
D Place Valhubert
E Rue Gay-Lussac
F Rue Mouffetard
G Boulevard Saint-Marcel

PARIS - 5ᵉ

CHEZ LÉON
AU COCHON D'AUVERGNE

✖ Charcutier traiteur

Lorsque Léon s'est résolu à passer la main, il avait 92 ans, près de soixante ans derrière son comptoir et une fidèle clientèle de gourmets. Il était donc hors de question de changer quoi que ce soit. Les recettes sont toujours les siennes : la choucroute, réputée dans tout Paris, le petit salé qui l'accompagne et le fromage de tête. Les pâtés, les terrines et les saucisses sont préparés avec soin par des artisans sélectionnés. Pour remplir son réfrigérateur, des œufs frais de l'Aveyron et des petits fromages, dont la couronne de Léon, sont les bienvenus.

🧺 **Dans le panier :** une spécialité maison, le fromage de tête, le petit salé ou la choucroute.

➜ **Adresse :** 48 rue Monge. M° : Place-Monge. Tél. : 01 43 26 36 21.

€ **Prix :** couronne de Léon 5,80 € ; crottins fermiers 2,75 €.

❓ **Quand ?** Du mardi au samedi de 9 h à 19 h ; le dimanche de 9 h 30 à 13 h.

POISSONNERIE MONGE

 Poissonnerie

La réplique version poche de la poissonnerie de la rue Mouffetard. Une adresse sûre, avec une belle sélection de petits pêcheurs.

 Dans le panier : une douzaine d'huîtres.

Adresse : 70 rue Monge. M° : Place-Monge. Tél. : 01 47 07 35 71 ou www.poissonnerie-quoniam.com

Prix : la douzaine de Marennes d'Oléron n° 3 : 9,80 €.

Quand ? Du mardi au samedi de 8 h 30 à 13 h et de 16 h 30 à 20 h ; le dimanche de 8 h 30 à 13 h.

LA FERME DES ARÈNES

 Fromager

On retrouve ici des fromages de la ferme Saint-Aubin dans le 4e, affinés maison. On y trouve aussi quelques terrines maison, rustiques et goûteuse à souhait.

Dans le panier : des chèvres et une terrine maison.

➙ **Adresse :** 60 rue Monge. M° : Place-Monge. Tél. : 04 43 36 07 08.
Voir aussi dans le 4ᵉ et le 20ᵉ.

€ **Prix :** Valencay 7 € ; Mâconnais 1,50 €.

? **Quand ?** Du mardi au samedi 8 h 30 à 12 h 45 et de 15 h à 19 h 30 ;
le dimanche de 8 h 30 à 12 h 30.

BRÛLERIE MAUBERT

 Torréfacteur

Cette adresse embaume dès le matin le parfum typique et unique du café. Avec un choix d'une quinzaine de grains, les conseils de la patronne sont bienvenus. Les puristes goûteront le meilleur arabica du monde, le Blue Mountain, venu de Jamaïque, ou celui du Yémen, forts en bouche, suaves et toniques. Ou ils se contenteront du mélange maison, un café traditionnel pour tous les jours. Le choix de thés de Chine est aussi intéressant. Pour la douceur, des confitures fines anglaises et des biscuits. Juste à côté, un petit comptoir sert les cafés de la maison, ce qui est fort appréciable.

Dans le panier : 100 g d'arabica Blue Mountain et une confiture à l'orange.

⇢ **Adresse :** 1-3 rue Monge. M° : Maubert-Mutualité.
Tél. : 01 43 25 28 52.

Prix : arabica Blue Moutain 100 g 9,90 € ; arabica du Yémen 100 g 7,60 € ; mélange maison 100 g 3,50 € ; confiture fine 3,80 €.

Quand ? Du mardi au samedi de 10 h à 13 h et de 15 h à 19 h.

LA ROUTE DU THÉ

Thés

Une belle adresse pour leur décoration, son choix de théières, de tasses et surtout pour sa sélection de thés : 300 variétés du monde entier. Les conseils judicieux reçus ici permettent de faire le bon choix car le goût et les saveurs des thés sont tellement différents que seul un expert peut éclairer et ajouter des recommandations, sur la température de l'eau ou le temps d'infusion propres à chacun pour révéler au plus juste les arômes.

 Dans le panier : un thé vert japonais.

➙➙ **Adresse :** 14 rue Lacepède. M° : Maubert-Mutualité. Tél. : 01 43 36 63 00. Voir aussi dans le 15ᵉ.

Prix : thé japonais 100 g 13,90 €.

Quand ? Du lundi au samedi de 11 h à 19 h ; le dimanche de 10 h à 18 h.

LEVANT & CO

Épicerie fine turque

Pour découvrir les douceurs d'Anatolie, il faut faire le détour par cette boutique miniature installée en 2006 dans une petite rue à deux pas de Mouffetard. L'accueil offre la lumière et la chaleur du soleil levant. Des produits d'une grande finesse sont sagement alignés : des huiles d'olive issues de la production familiale, aux qualités nutritives incomparables, des tomates séchées, des câpres de Smyrne, du sel de la mer Égée, des figues et des abricots séchés, des raisins de Smyrne, des loukoums et un incroyable café turc.

Dans le panier : huile d'olive, loukoums et café.

➼ **Adresse :** 24 rue Pascal. M° : Gobelins ou Censier-Daubenton. Tél. : 01 43 37 80 48 ou www.levant-co.com

✑ **Prix :** huiles du Levant 50 cl 14 € ; tomates séchées au soleil à l'huile d'olive 200 g 5 € ; sel en moulin 125 g ou en pot 190 g 4 € ; café turc 125 g 5 € ; loukoums à la rose 200 g 5 €.

❓ **Quand ?** Du mardi au samedi de 10 h à 19 h 30 ; le dimanche de 10 h 30 à 14 h 30.

BASILICO

💟 Traiteur épicerie italien

Une toute petite échoppe au parfum de sauce tomate au basilic mijotée, pour déguster sur le pouce ou emporter quelques spécialités savoureuses italiennes. Au comptoir, les antipasti font tous envie et les cannelloni chantent. Quatre tables permettent de se poser pour savourer. Ici, pas de téléphone. Le patron est seul et préfère s'occuper de ses fourneaux et de ses clients.

🧺 **Dans le panier :** quelques antipasti et des cannelloni.

➙ **Adresse :** 2 rue Lacepède. M° : Maubert-Mutualité.

💶 **Prix :** 4 artichauts marinés 6,70 €, un sandwich coppa 5 €.

⏱ **Quand ?** Du mardi au samedi de 9 h à 19 h 30.

LE PIRÉE

✕ Traiteur grec

Le comptoir présentant les mets du pays des dieux plonge le badaud dans une douce rêverie : miels, huiles d'olive, vins, ouzos, tarama, moussaka, tzatziki… La cuisine est faite maison, les plats sont alléchants et forts en goût. L'enchantement se précise avec les explications et les recommandations des hôtes, ravis de présenter leurs sélections.

🧺 **Dans le panier :** tarama et tzaziki, tiropitas, feuilletés, olives et loukoums.

➙ **Adresse :** 47 bd Saint-Germain. M° : Maubert-Mutualité. Tél. : 01 43 26 33 67.

💶 **Prix :** tiropitas de 3 € à 3,80 € ; loukoums 1,80 € ; halva 3,40 €.

⏱ **Quand ?** Tous les jours de 9 h à 22 h.

LES DÉLICES DE DAUBENTON

 Épicerie

Un joli fourbi de gourmandises sucrées et salées choisies avec finesse par un épicurien gastronome, Philippe Raynaud. Avec ses prix doux, cette adresse est un vraie invitation à la découverte : moutarde à la lavande, caviar d'artichaut, vinaigre, à la truffe, ou encore des spécialités gastronomiques de foie gras ou de magret de canard, une riste d'aubergine inoubliable…, des confitures de cerises blanches, de figues blanches, des sirops insolites au mimosa, au géranium…, des biscuits fins et des glaces, au safran, au pain d'épice… Généreux, Philippe Raynaud propose des dégustations, des miniconférences, des fiches techniques de ses produits et des recettes goûteuses sur son site internet.

🧺 **Dans le panier :** des condiments, des confitures, des sirops, des vins, de la glace…

➡→ **Adresse :** 35 rue Daubenton. M° : Censier-Daubenton. Tél. : 01 47 07 53 13 ou www.lesdelices.com et le blog : http://philraynaud.com

€ **Prix :** moutardes de 2,74 € à 3,96 € ; vinaigres 50 cl de 7 € à 9 € ;
foie gras de canard le bloc de 130 à 400 g de 19 € à 48,78 € ; glaces
½ l de 7 € à 9 €, confitures 370 g 5,49 € ; sirops 50 cl 8,69 € ; vins
de Graves de Vayre la bouteille de 6,71 € à 13,42 €.

? **Quand ?** Du mardi au dimanche de 11 h à 19 h 30.

LA NATURE À PARIS

Épicerie bio

«Manger bio, ça dépollue.» Voilà le message affiché
en bonne place sur la vitrine. Pour ce faire, ce petit
supermarché propose un grand choix de produits
secs, en sachet et en boîte, et un beau rayon de produits frais joliment garni. Les marques sont avant tout
issues de terroirs français et viennent pour la plupart
de producteurs. Pour faire une pause, se convaincre
ou goûter une cuisine totalement bio, le Phyto Bar,
juste à côté, propose des jus de fruits frais et une
carte restaurant variée.

Dans le panier : de la farine de châtaigne, des pâtes
complètes et du quinoa.

➻➙ **Adresse :** 45 bd Saint-Germain. M° : Maubert-Mutualité.
Tél. : 01 43 54 19 16 ou www.biosaintgermain.com

🏷 **Prix :** farine de châtaigne 500 g 5,60 €, pâtes complètes 500 g à partir de 1,50 €.

⑦ **Quand ?** Du lundi au samedi de 9 h 30 à 20 h 30 ; le dimanche de 11 h à 20 h 30.

AUX CERISES DE LUTÈCE

💚 Salon de thé

Jadis, le quartier était un verger de cerisiers. Aujourd'hui, les cerises se dégustent ici en tartes ou en confitures. Une jolie petite salle vous accueille pour des moments gourmands, du petit déjeuner au thé de l'après-midi. Une carte sincère et simple propose des tartines insolites au chèvre frais et compotée de figues ou au brie à la poire et au gingembre, des omelettes divines et de jolis desserts, comme le fondant au chocolat chaud et sa crème anglaise, le clafoutis ou le flan. Madame cuisine et Monsieur sert : l'accord est parfait, comme dans l'assiette.

➸ **Adresse :** 86 rue Monge. M° : Place-Monge ou Censier-Daubenton. Tél. : 01 43 31 67 51.

Prix : thés 3,50 € ; jus de fruits pressés 3,80 € ; tartines 9,50 € ; omelettes 9,50 €, desserts 5 €.

(?) **Quand ?** Du mardi au samedi de 11 h à 18 h 30, le soir sur réservation à partir de 6 personnes.

6e ARRONDISSEMENT

PARIS - 6e

- **1** Boulangerie C. Maillard
- **2** Maison Kayser
- **3** Carton
- **4** Boutique Graudet
- **5** Boucherie Bréa
- **6** Huilerie Leblanc & fils
- **7** La Reine Astrid

- **A** Jardin du Luxembourg
- **B** Boulevard Saint-Germain
- **C** Rue de Rennes
- **D** Boulevard du Montparnasse
- **E** Rue de Vaugirard
- **F** Boulevard Saint-Michel

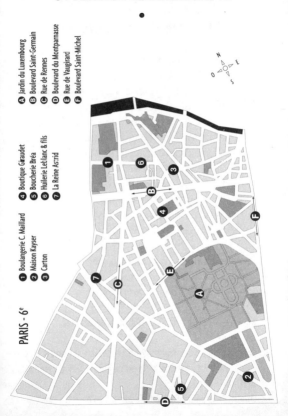

BOULANGERIE C. MAILLARD

 Boulanger pâtissier

Catherine Maillard s'attache aux valeurs sûres. Sa petite boutique ne s'encombre pas de superflu, un joli présentoir expose à toute heure des tartines ou des tartes gourmandes chaudes dont la préparation varie avec le marché. Côté frais, des sandwichs et des pâtisseries classiques, dont une ancienne recette très parisienne : la conversation. On y revient aussi pour sa viennoiserie et son choix de pains et de petits pains aux parfums insolites et réussis : figue, pomme, tomate, céréales, miel et amande…

Dans le panier : un pain au chocolat, un petit pain aux figues ou aux pommes, une part de quiche brocoli et chèvre, une conversation…

➺ **Adresse :** 42 rue Jacob. M° : Saint-Germain-des-Prés.
Tél. : 01 42 60 20 39.

Prix : tartelette aux fruits 2,90 € ; tartelette aux noix 3 € ; paris-brest 2,50 € ; la part de tarte ou de quiche 3,30 € ; sandwich à partir de 3,10 €.

Quand ? Du lundi au samedi de 7 h 30 à 20 h.

MAISON KAYSER

✗ Boulangerie de tradition

Sa renommée n'est certes plus à faire. Celle qui assoie un savoir-faire, une conception du travail et des valeurs, le goût du meilleur. Celle aussi qui révèle un talent, car depuis son ouverture, il y a là une longue file devant cette boutique… Depuis, d'autres connaissent le même sort à Paris 11ᵉ, à Tokyo, à Los Angeles, à Moscou, à Athènes et en Guadeloupe ! Une variété incroyable de pains, plus de soixante, tous élaborés à partir d'un levain naturel, ont chacun une saveur particulière pour se déguster seul ou s'accorder avec merveille. Les viennoiseries valent aussi à elles seules le déplacement et les tartes sont délicieuses.

 Dans le panier : du bon pain et des tartelettes fondantes.

➡ **Adresse :** 87 rue d'Assas. RER B : Port-Royal. Tél. : 01 43 54 92 31 ou www.maison-kayser.com.
💶 **Prix :** croissant 1,05 € ; pain au chocolat 1,10 € ; tartelette 3,20 €.
⏱ **Quand ?** Du lundi au samedi de 7 h à 20 h 30.

CARTON

 Pâtisserie

Le pâtissier a des doigts de fée, une créativité lumineuse et un vrai talent : les pâtisseries dans la vitrine sont toutes si belles que leur dégustation promet un moment de plaisir. Les religieuses pavanent, les éclairs sont fiers et les meringues rendraient dingues. Vues aussi, les tartelettes plutôt pipelettes. Précisément la tartelette cocktail aux fruits rouges, un vrai feu d'artifice de fruits sucrés. Le chocolat fait son fou dans les gâteaux, les tartes et les barquettes. Des spécialités ? Le soufflé à la framboise et la tarte fine.

 Dans le panier : un éclair au café et une tartelette.

→ **Adresse :** 6 rue de Buci. M° : Saint Germain des Prés.
   Tél. : 01 43 26 04 13.
   Autre adresse : dans le 16ᵉ.

Prix : croissant 0,95 € ; pain au chocolat 1,15 € ; religieuse 2,30 € ; éclair 2,10 € ; tartelette cocktail 4,80 €.

Quand ? Du mardi au dimanche de 7 h à 20 h.

BOUTIQUE GIRAUDET

 ## Quenelles, sauces et soupes

Un secret et 20 quenelles : nature ou parfumées au brochet, à l'écrevisse, à la volaille, aux morilles, aux truffes… Sachez que ces dames s'accommodent : le grand classique, la sauce Nantua, les très subtiles, avec la sauce au poivre de Muntoc, une graine blanche indonésienne ou au piment d'Espelette… Super ! Certaines sont bio.

Les soupes fraîches, composées selon les saisons, sont à la châtaigne, aux carottes et à la cardamome, tibétaines, aux cèpes ou aux pois cassés, à la sardine, à la coriandre…

Dans le panier : 6 quenelles et une sauce Nantua, une soupe aux carottes et lait d'amande.

→ **Adresse :** 16 rue Mabillon. M° : Mabillon. Tél. : 01 43 25 53 00 ou www.giraudet.fr

→ **Autre adresse :** La Boutique et Le Bar à Soupes, 5 rue Princesse. M° : Mabillon. Tél. : 01 43 25 44 44 (le lundi de 10 h à 17 h ; du mardi au vendredi de 10 h à 17 h et de 19 h à 22 h 30).

🏷 **Prix :** quenelle châtaigne 1,30 € ; quenelle brochet écrevisse 2,50 € ; quenelle volaille morilles 2,40 € ; la boîte de 40 quenelles à pôeler 6,50 € ; sauce nantua 4,80 € ; soupe carottes et lait d'amande 5,50 €.

❓ **Quand ?** Le lundi de 14 h 30 à 19 h 30 ; du mardi au samedi de 10 h à 13 h et de 13 h 30 à 19 h 30.

BOUCHERIE BRÉA

🍴 Boucherie volaille

Absolument inattendue dans cette petite rue, cette boucherie doit tout simplement faire le bonheur du voisinage. Une maison d'artisans et des produits du terroir. Bœuf du Limousin, volaille des Landes, veau de lait de Corrèze, la carte est simple et les morceaux sont bien coupés. Tôt le matin, devant la boutique, le tourne-broche est déjà en place et rôtit de gros poulets. Autrement dit, ici, pas de chichis, mais rien que du tralala dans le cabas.

🧺 **Dans le panier :** un poulet des Landes.

➤ **Adresse :** 21 rue Bréa. M° : Vavin. Tél. : 01 43 26 51 33.

Prix : poulet des Landes rôti, pour 4, 17 €.

Quand ? Du mardi au samedi de 8 h à 13 h 15 et de 15 h à 20 h ;
le dimanche de 8 h à 13 h 15.

HUILERIE LEBLANC & FILS

 Huilerie artisanale

Depuis plus de cent vingt ans, la famille Leblanc
perpétue un savoir-faire de tradition et d'authenti-
cité dans son huilerie de Bourgogne. Une gamme
savoureuse d'huiles culinaires naturelles décline des
saveurs rares : huile de cacahuète grillée, de pignon
de pin ou de pistache. Les moutardes en grains à
l'ancienne ou au vinaigre balsamique et au miel sont
à goûter. Également des vinaigres artisanaux de cidre,
de xérès, balsamique.

 Dans le panier : huiles, vinaigres et moutardes.

→ **Adresse :** 6 rue Jacob. M° : Saint-Germain-des-Prés. Tél. : 01 46 34 61 55
ou www.huile-leblanc.com

Prix : huile de cacahuètes grillées 50cl 7,50 € ; vinaigres balsamique
et à la truffe 7,60 € ; moutardes de 2,50 € à 2,80 €.

Quand ? Le lundi de 14 h à 19 h ; du mardi au vendredi de 12 h à 19 h ; le samedi 10 h à 19 h.

LA REINE ASTRID

Chocolatier

Dans un cadre épuré et lumineux, le chocolat représente ici le must. Depuis 1935, ses mille facettes sont dévoilées, sublimées pour la mémoire d'une reine. Des centaines de créations de tradition se transmettent autour du chocolat. Les ganaches, les pralinés à l'ancienne, au lait, noir, à la pâte d'amande, au nougat, aux amandes grillées caramélisées embaument la maison. Et on repart avec de jolies boîtes.

Dans le panier : des truffes au caramel brûlé.

Adresse : 24 rue du Cherche-Midi 75006 Paris. M° : Sèvres-Babylone. Tél. : 01 42 84 07 02 ou www.reineastrid.fr

Prix : truffes au caramel brûlé, à l'armagnac 300 g 18 €.

Quand ? Du lundi au samedi de 10 h à 19 h.

7e ARRONDISSEMENT

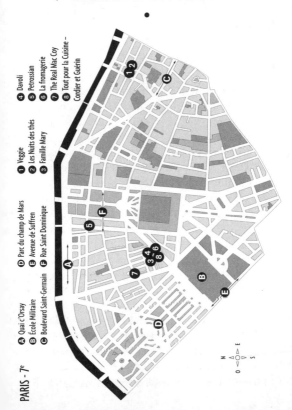

PARIS - 7e

Ⓐ Quai d'Orsay
Ⓑ École Militaire
Ⓒ Boulevard Saint-Germain

Ⓓ Parc du champ de Mars
Ⓔ Avenue de Suffren
Ⓕ Rue Saint Dominique

❶ Veggie
❷ Les Nuits des thés
❸ Famille Mary

❹ Davoli
❺ Petrossian
❻ La fromagerie
❼ The Real Mac Coy
❽ Tout pour la Cuisine –
Cordier et Guérin

VEGGIE

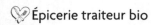Épicerie traiteur bio

Une jolie salle simple et de bon goût accueille pour déjeuner ou emporter toutes sortes de préparations maison, bio et, comme son nom l'indique, végétariennes.

C'est une vraie pause détente et ravigotante qu'il est possible de s'accorder ici, tant l'accueil et le choix des produits sont sincères et authentiques. On y goûte ou redécouvre un bon potage de légumes, une tourte simple et une (exquise) tarte au citron. Pour finir, un thé choisi sur les recommandations d'une hôtesse adorable.

Dans le panier : du pain, des légumes, une tartelette, des farines et des pâtes.

Adresse : 38 rue de Verneuil. M° : Rue-du-Bac. Tél. : 01 42 61 28 61.

Prix : assiette de petites crudités 8,20 € ; potages 7,20 € ; couscous légumes 11,50 € ; la part de gâteau au chocolat, tartelette au citron ou aux pommes 6 €.

Quand ? Du lundi au vendredi de 9 h 30 à 15 h et de 17 h à 19 h.

LES NUITS DES THÉS

✖ Traiteur pâtissier glacier

Deux élégants salons accueillent pour un déjeuner ou un thé gourmand. On se croirait dans la salle à manger d'une autre époque. La carte est dans le même esprit avec une cuisine «bourgeoise», c'est-à-dire plutôt classique et familiale. L'ensemble permet un doux moment devant une délicate tarte Tatin à l'abricot rôti et au romarin ou un délicieux moelleux aux châtaignes, ou encore un fabuleux quatre-quarts à l'orange… À déguster sur place ou à emporter. À noter aussi : le choix de sandwichs fins et chics.

🧺 **Dans le panier :** de jolis gâteaux ou un bon sandwich.

↦ **Adresse :** 22 rue de Beaune. M° : Rue-du-Bac. Tél. : 01 47 03 92 07.

✐ **Prix :** tarte Tatin 4,50 € ; moelleux 3 € ; quatre-quarts 3,20 € ; sandwich 5 €.

⊘ **Quand ?** Tous les jours de 11 h 30 à 19 h.

FAMILLE MARY

✗ Rucher

Une boutique sœur des cinq autres disséminées dans Paris.. Depuis trois générations, cette famille *marie* savoir-faire et talent dans la culture du miel pour séduire les palais, adoucir les gorges et sublimer les sens. Toutes les vertus de la ruche s'affichent ici : des pots de miels avec plus de trente saveurs différentes, des biscuits, des pastilles, des pollen, des gelées…

 Dans le panier : du miel, de la gelée royale, du pain d'épice et des madeleines.

➻ **Adresse :** 35 rue Clerc. M° : École-Militaire. Tél. : 01 47 53 68 58 ou www.famillemary.fr

💶 **Prix :** miel à la pesée 1 kg 9,90 €, en pot de 250 g de 9,90 € à 17,90 € ; pain d'épice 350 g 5,8 € ; les confiseries 300 g 3,80 €.

❓ **Quand ?** Du mardi au vendredi de 10 h à 13 h et de 15 h à 19 h 30 ; le samedi de 10 h à 13 h 30 et de 14 h 40 à 19 h 30 ; le dimanche de 10 h à 13 h.

DAVOLI

Charcuterie traiteur

«Extraordinaire» serait le mot approprié pour qualifier cette boutique gargantuesque d'où débordent de toutes parts des jambons de Parme, des San Daniele et des Fellino, des lards, des salamis, des mortadelles, des coppas et des *bresaola*… L'hymne à la gourmandise continue à la vue des antipasti ultra-appétissants, comme les artichauts à la romaine ou les tomates séchées à l'huile d'olive. Les plats du jour sont si alléchants et leur succès si grand qu'il peut y en avoir deux dans la journée ! Côté desserts, le tiramisu est, lui, préparé en quantité pour satisfaire tous ses amateurs.

Dans le panier : des jambons et des petits plats mijotés en portion.

⟶ **Adresse :** 34 rue Clerc. M° : École-Militaire. Tél. : 01 45 51 23 41 ou www.davoli-paris.fr

Prix : 6 tranches de jambon de Parme 13, 20 € ; une part de tiramisu 7,80 €.

(?) **Quand ?** Le mardi, le jeudi et le vendredi de 8 h à 13 h et de 15 h à 19 h 30 ; le mercredi de 8 h à 12 h 45 ; le samedi de 8 h à 19 h ; le dimanche de 8 h à 13 h.

PETROSSIAN

 Caviar

Dans ce charmant magasin, ouvert en 1920, l'exigence s'est posée sur un produit rare : le caviar. Ainsi, Petrossian est devenu la référence de ces illustres œufs d'esturgeon, une marque incontestée de qualité et de saveur. Prisée des tables chic et des plus simples, elle assure d'une élégance et sans aucun doute flatte le goûteur. Le saumon fumé est la seconde spécialité de la maison. Sauvage, il est travaillé dans les règles de l'art et tranché à la main. Le choix fait craquer et, si l'exception a un prix, elle impose aussi une qualité et une finesse qui font la différence.

Dans le panier : une boîte de caviar Baeri Royal, une vodka aux herbes et quelques tranches de saumon fumé extra-royal…

⤞→ **Adresse :** 18 bd de la Tour-Maubourg. M° : École militaire.
Tél. : 01 44 11 32 32 ou www.petrossian.fr

🏷 **Prix :** caviar Baeri Royal 30 g. 62 € ; saumon fumé extra-royal 100 g
11 €, vodka aux herbes 50 cl 19 €.

❓ **Quand ?** Du lundi au samedi de 9 h 30 à 20 h.

LA FROMAGERIE

✂ Fromager affineur

Une belle boutique aux effluves enjôleuses et aux
rayonnages riants. Le choix de fromages est exceptionnel et son agencement le sublime. Cela donnerait
presque le tournis au personnel qui virevolte entre
les clients. Ici, la qualité et la tradition sont de mise ;
certaines étiquettes sont donc rares ou ne sont visi-
bles qu'une saison.

🧺 **Dans le panier :** un plateau de fromages.

⤞→ **Adresse :** 31 rue Clerc. M° : École Militaire. Tél. : 01 47 05 48 95.

🏷 **Prix :** tomme de montagne 300 g 5,60 € ; chèvre pyramide 6,80 €,
Sainte-maure 6,90 €, cabri 4,90 €.

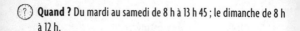 **Quand ?** Du mardi au samedi de 8 h à 13 h 45 ; le dimanche de 8 h à 12 h.

THE REAL MAC COY

✕ Épicerie américaine

Une petite boutique sympathique pour les fans de quelques saveurs venues d'outre-Atlantique. Idéal pour préparer les vrais hot-dogs maison, avec les hot-dogs buns (pain) ou des pancakes authentiques avec une préparation toute prête.

Le *peanuts butter*, le Philadelphia, un gâteau au fromage font aussi partis du choix et les bagels, de petits pains nature ou aux oignons, au pavot, au sésame ou à la cannelle viennent directement de New York. Les inconditionnels y trouveront aussi le Big Red, le chewing gum à la cannelle.

Dans le panier : des bagels, des hot-dogs buns, du bread reeses…

➤ **Adresse :** 194 rue de Grenelle. M° : École-Militaire. Tél. : 01 45 56 98 82. S'adresser aussi au Real Mac Coy Café, 49 av. Bosquet 75007 Paris. M° : École-Militaire. Tél. : 01 45 56 00 00.

 Prix : peanuts butter 3,70 € ; pancake mixt 4,30 € ; Big Red 1,70 €

 Quand ? Tous les jours de 10 h à 20 h.

TOUT POUR LA CUISINE CORDIER & GUÉRIN

Accessoires de cuisine

Depuis 1932, cette boutique est une référence avec son large choix de matériel de cuisine et d'ustensiles divers et variés. De grandes marques que les chefs connaissent et que les apprentis apprécieront pour les poêles, faitouts, casseroles et marmites, cocottes en fonte, grils, couteaux de cuisine…

➤ **Adresse :** 30 rue Clerc. M° : École-Militaire. Tél. : 01 47 05 45 77.

 Prix : une poêle à crêpe 12,80 € ; une spatule 2,60 €.

 Quand ? Du mardi au samedi de 9 h 30 à 13 h et de 15 h 30 à 19 h 30 ; le dimanche de 9 h 30 à 13 h.

8ᵉ ARRONDISSEMENT

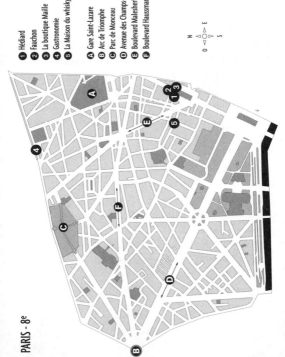

1 Hédiard
2 Fauchon
3 La boutique Maille
4 Gastronomie
5 La Maison du whisky

A Gare Saint-Lazare
B Arc de Triomphe
C Parc de Monceau
D Avenue des Champs-Élysées
E Boulevard Malesherbes
F Boulevard Haussmann

PARIS - 8ᵉ

HÉDIARD

 **Épicerie fine**

Depuis 1854, comme le souhaitait le chercheur découvreur Ferdinand Hédiard, son fondateur, la maison est la référence en épicerie fine : confitures, épices, vinaigres, huiles, condiments, moutardes, biscuits, thés, cafés… Son nom est devenu une marque. Un choix d'articles exclusifs de grande qualité. La boutique se visite comme un musée.

Dans le panier : du café frais moulu, un petit bocal de pesto, des noix de muscade.

Adresse : 21 place de la Madeleine. M° : Madeleine.
Tél. : 01 43 12 88 88.

Prix : 250 g de café Voyage à Paris 5,50 € ; bocal de neuf noix de muscade 4,90 € ; 130 g de pesto au basilic 4,50 € ou de purée d'olives noires 5,40 €.

Quand ? Du lundi au samedi de 9 h à 21 h.

FAUCHON

 Épicerie fine

En 1885, Auguste Fauchon, jeune Normand fraîchement arrivé dans la capitale, propose ses fruits et légumes des vergers de Normandie et de France sur le marché de la Madeleine. La qualité de ses produits séduit tant le Tout-Paris que, un an plus tard, en 1886, il ouvre cette épicerie fine place de la Madeleine. Ce visionnaire et découvreur de talents sélectionne les mets les plus fins, en pâtisseries, thés, cafés et vins, et marque son audace en ouvrant Le Grand Salon de thé en 1895, au 24 place de la Madeleine. Son nom est aujourd'hui une marque qui assure avec éclat le bon goût dans le monde entier.

 Dans le panier : une confiture de pétales de roses.

➜ **Adresse :** 30 place de la Madeleine. M° : Madeleine.
 Tél. : 01 70 39 38 00.

Prix : petit pot de miel des Toits de Paris 15 € ; boite de cinq madeleines 10 € ; confiture de pétales de rose 7 €.

⏲ **Quand ?** Du lundi au samedi de 9 h à 20 h.

LA BOUTIQUE MAILLE

Moutardes et vinaigres

Pour ceux à qui il n'y a que Maille qui aille ! Une collection inattendue de 30 moutardes, classiques, anciennes et plus fantaisistes : aux fruits, abricots secs et curry, pamplemousse et poivre vert, pomme et cannelle, figue et coriandre, pêche et chili. Aux spécialités des terroirs : verjus et miel, noisette et muscade, cassis de Dijon, marc de Bourgogne. Aux herbes et aux aromates, oignons grillés et serpolet, fines herbes, ail et citron, olives et citronnelle...

Dans le panier : une moutarde à l'oignon grillé et serpolet et un vinaigre de vin blanc au zeste et jus de pamplemousse.

Adresse : 6 place de la Madeleine. M° : Madeleine. Tél. : 01 40 15 06 00 ou www.maille.com

Prix : 1 pot de 110 g de moutarde à l'oignon grillé et au serpolet 3,40 € ; 1 flacon de 25 cl de vinaigre de vin blanc au zeste et jus de pamplemousse 6 €.

Quand ? Du lundi au samedi de 10 h à 19 h.

GASTRONOMIE RUSSE

✗ Épicerie russe

Une épicerie russe pour trouver les ingrédients de base de la gastronomie slave : des cornichons sans vinaigre, des aubergines à l'adjika (recette du Caucase piquante à la sauce tomate) de la sauce *krenovina* (à base de raifort)… Un rayon frais présente des harengs salés, préparés ou nature, des charcuteries et des fromages, des *gretchka* (graines de sarrasin), du *khalva*, des *kissel* (gâteaux aux baies), des *boubliki* (biscuits au pavot)… Pour accompagner le repas, un choix de vodkas russes et ukrainiennes devrait satisfaire les amateurs.

🧺 **Dans le panier :** un bocal de caviar de courgette, des aubergines à l'adjika, des cornichons à la russe.

➡ **Adresse :** 53 bd des Batignolles. M° : Villiers ou Rome.
Tél. : 01 42 93 10 43.
💶 **Prix :** jus de grenade 1 l 3,60 € ; caviar de courgette 460 g 3 € ; cornichons à la russe 860 g 3 € ; vodkas à partir de 12 €.
🕐 **Quand ?** Du mardi au dimanche de 10 h à 20 h.

LA MAISON DU WHISKY

Exclusif

Depuis 1956, cette maison est la référence. Avec une sélection de plus de 1 000 étiquettes, l'amateur est comblé. Lorsqu'il apprend que 600 d'entre elles sont exposées en exclusivité ici, il s'accorde le temps d'en savoir plus. En effet, les Singles Malts, les Blends et Vatted Malts, les whiskies de grain, les Pure Pot Still, les bourbons, les Tennesse whiskey, les Corn, les Rye et les Wheat se déclinent selon leur provenance et leur âge. De quoi chavirer, avant même d'avoir goûté une gorgée !

Dans le panier : l'île de Skye avec un Talisker et l'île du Japon avec un Yamazaki.

Adresse : 20 rue d'Anjou. M° : Madeleine. Tél. : 01 42 65 03 16 ou www.whismylive.fr

Prix : Talisker 18 ans 64 € ; Yamazaki 41 €.

Quand ? Le lundi de 9 h 30 à 19 h ; du mardi au samedi de 9 h 30 à 20 h.

9e ARRONDISSEMENT

PARIS - 9e

1. Aurore – Capucine
2. Les Papilles gourmandes
3. Le Grand Jeau
4. Torréfaction Marna
5. Semilleros de Colombia
6. La Mère de famille
7. Rose Bakery

A. Rue La Fayette
B. Place Pigalle
C. Place de Clichy
D. Avenue Trudaine
E. Place d'Estienne D'Orves
F. Rue du Faubourg Poissonnière

N
O ◁○▷ E
S

AURORE – CAPUCINE

 ## Patissier chocolatier

Un joli petit comptoir pâtissier où l'artisan, derrière le fourneau, est un poète : des sablés cœur, des sablés lune, des tartelettes jamais vues, «Victoria à la crème de chocolat noir, framboisée et ganache cacao», ou «petit soufflé cœur à la rose sur une crème aux deux citrons», une tarte au chocolat noir à la violette, des pains d'épice glacés aux agrumes et au gingembre, un craquelé de framboises… et des classiques, comme l'incomparable tarte Linzer. Le macaron craquelé au chocolat est divin. Une adresse rare.

Dans le panier : des sablés lune et des tartelettes au soufflé cœur.

Adresse : 3 rue de Rochechouart. M° : Cadet. Tél. : 01 48 78 16 20.

Prix : sablé lune, sablé cœur 1 € ; tartelette Victoria 3,45 € ; soufflé cœur 3,20 € ; pain d'épice 9,40 € ; muffin 1,25 € ; macaron au chocolat 2,65 €.

Quand ? Du mardi au samedi de 11 h 30 à 20 h.

LES PAPILLES GOURMANDES

 Traiteur

Françoise Le Carrer a été bien inspirée d'ouvrir sa boutique dont il est difficile de sortir sans quelques suppléments. Passionnée et avertie, elle réunit les meilleurs produits des terroirs de France. Chaque région est indiquée sur une ardoise et dessous trônent saucisses et saucissons, pâtés, rillettes et jambons. Les variétés sont ébouriffantes… La palette de fromages affinés et le choix fin des quelques vins promettent de ne jamais être pris au dépourvu.

Dans le panier : du pâté, des saucissons, des jambon de pays… et des fromages.

Adresse : 26 rue des Martyrs. M° : Notre-Dame-de-Lorette. Tél. : 01 45 26 42 89.

Prix : une douzaine de tranches de salami, de saucisson sec d'Ardèche 8,90 € ; 1 tranche de pâté de campagne du Limousin 6,80 €.

Quand ? Le lundi de 11 h à 13 h 30 et de 17 h 30 à 19 h 30 ; du mardi au samedi de 9 h à 14 h et de 16 h à 19 h 45 ; le dimanche de 17 h 30 à 19 h 30.

LE GRAND JEAU

Charcutier traiteur

Ouvert depuis peu, cet espace frais, clair et spacieux affiche une nouvelle image du charcutier traiteur. Du grand classique ou de la fantaisie dans les présentations très chic de salades composées, de charcuteries fines, de terrines, de poissons farcis, de viandes préparées, et des accompagnements variés. Pour la touche sucrée, de bons petits desserts traditionnels – mousse au chocolat, crème caramel… Tout cela s'emporte pour un festin privé ou se déguste sur le pouce, attablé le long de la baie vitrée.

Dans le panier : 200 g de carottes râpées, une part de turbot farci aux petits légumes et au gingembre et une crème caramel.

Adresse : 58 rue des Martyrs. M° : Notre-Dame-de-Lorette ou Pigalle. Tél. : 01 48 78 96 45.

Prix : carottes râpées 200 g 4,20 € ; une part de turbot 6,80 € ; crème caramel 3 €.

Quand ? Du lundi au samedi de 8 h à 21 h 30 ; le dimanche de 8 h à 14 h.

TORRÉFACTION MARNA

 Torréfacteur

C'est une véritable boîte à cafés, avec un choix accueillant de cafés d'origines diverses, relatées sur de petits cartons devant chaque boîte. Des précisions sur la préparation, le moment idéal pour les déguster sont indiquées. Sur les étagères, des boîtes de thés de Chine ajoutent une note de charme. L'agréable accueil confirme que l'adresse est à connaître.

 Dans le panier : des mokas et des thés de Chine.

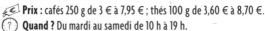

→ **Adresse :** 24 rue du Faubourg-Montmartre. M° : Grands-Boulevards. Tél. : 01 47 70 33 43.

Prix : cafés 250 g de 3 € à 7,95 € ; thés 100 g de 3,60 € à 8,70 €.

Quand ? Du mardi au samedi de 10 h à 19 h.

SEMILLEROS DE COLOMBIA

 Café épicerie

Dans ce mouchoir de poche, le café colombien est à l'honneur : en version grains ou moulu, biscuits, bonbons ou confitures, il s'agit d'affirmer et de convaincre que sa saveur subtile et douce se prête aussi à mille préparations. Des gâteaux au café et une délicieuse confiture de café et de mûre complètent l'étalage. Pour apprécier une dégustation, un exposé et des recettes sont joyeusement proposés. La bonne humeur et le sourire sont là, comme le café : séduisants et toniques.

Dans le panier : un café colombien, de la confiture à la mûre et au café.

→ **Adresse :** 38 rue Notre-Dame-de-Lorette. M° : Saint-Georges. Tél. : 01 48 78 74 03 ou www.semilleros.biz.

Prix : café 2 € ; confiture 150 g 3 €.

Quand ? Le lundi de 14 h à 19 h 30 ; du mardi au vendredi de 9 h à 12 h 30 et de 14 h 30 à 20 h ; le samedi et le dimanche de 10 h à 17 h.

À LA MÈRE DE FAMILLE

Confiserie

Voici le repaire des enfants sages et des gourmands. Cette boutique est la première confiserie de Paris, fondée en 1761 et certainement aujourd'hui la plus riche en bonbons divers et variés. Angélique confite de Niort, de l'anis de Flavigny, des berlingots de Nantes, des violettes de Toulouse, des bêtises de Cambrai, des boulets de Montauban, des cachous Lajaunie de Toulouse, des calissons d'Aix, des coussins de Lyon, des nougats de Montélimar, des grisettes de Montpellier, des pralines de Montargis… Une vraie carte postale !

 Dans le panier : des bêtises, des berlingots…

➡ **Adresse :** 35 rue du Faubourg-Montmartre. M° : Grands-Boulevard ou Le Peletier. Tél. : 01 47 70 83 69 ou www.lameredefamillecom

Prix : sachets de berlingots à partir de 2,60 € ; barre de nougat 3 €.

Quand ? Du lundi au samedi de 9 h 30 à 20 h ; le dimanche de 10 h à 13 h.

ROSE BAKERY

Épicerie cantine

On vient ici pour acheter ses légumes bio et finalement on ne résiste pas à l'envie de s'attabler dans la petite salle à la déco gentiment trash avec vue sur cour. À la carte, des œufs brouillés, du *cheese cake*, du *carott cake*, des crumbles, des scones avec beurre et confiture, des muffins, des pancakes, des *smoothies*… et des thés japonais. Le choix change souvent au gré des arrivées du marché et de la gourmandise de la clientèle.

Dans le panier : des légumes, des tartes, du risotto…

- **Adresse :** 46 rue des Martyrs. M° : Notre-Dame-de-Lorette. Tél. : 01 42 82 12 80.
- **Prix :** la part de carott cake 3,80 € ; pancake banane et sirop d'érable 9,50 € ; banana smoothies 6,50 €.
- **Quand ?** Du mardi au dimanche de 11 h à 16 h.
- **Voir aussi :** le livre de recettes de Rose Carrarini, Breakfast, Brunch Tea, éditions Phaidon.

AUTOUR DU VIN

 Accessoires

«Le vin est ce qu'il y a de plus civilisé au monde», disait Rabelais.

C'est pour cela que cette boutique est entièrement réservée à l'apparat du vin. En effet, pour donner la plus belle impression à une bouteille de vin, trouver un tire-bouchon ou simplement offrir à votre vin une carafe qui dégagera le meilleur de ses arômes, on trouve ici toutes sortes d'accessoires traditionnels ou fantaisistes. Et comme un vin impose un verre, le choix est agréable et rappelle combien ce nectar est le symbole d'un grand moment de dégustation.

→→ **Adresse :** 1 rue Scribe. M° : Opéra. Tél. : 01 55 27 10 90.

(?) **Quand ?** Du mardi au samedi de 10 h à 20 h.

10ᵉ ARRONDISSEMENT

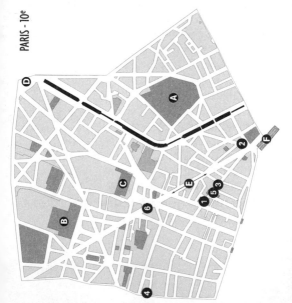

PARIS - 10ᵉ

1 Maison Denis Chanay
2 L'Épicerie anglaise
3 Tante Emma Laden
4 Galerie Fraîch'Attitude
5 Marché Saint-Martin
6 Marché Saint-Quentin

A Hôpital Saint-Louis
B Gare du Nord
C Gare de l'Est
D Place de Stalingrad
E Boulevard Magenta
F Place de la République

MAISON DENIS CHANAY

Boucherie charcuterie

Un petit magasin simple pour une belle sélection de viandes : blonde d'Aquitaine, veau de Corrèze et volaille de Bresse constituent la majorité du comptoir. La qualité est extra et les découpes avantagent généreusement le morceau. De plus, Denis Chanay est toujours enchanté de recevoir sa clientèle et l'entoure de mille conseils pour sublimer ses préparations en deux coups de cuillère.

 Dans le panier : un T-Bone steack.

➵ **Adresse :** 43 rue du Château-d'Eau. M° : Château-d'Eau.
  Tél. : 01 42 39 66 40.
Prix : T-Bone steack environ 600 g 14,80 €.
Quand ? Du mardi au samedi de 7 h 30 à 13 h et de 15 h 30 à 19 h 30 ; le dimanche de 7 h 30 à 13 h.

L'ÉPICERIE ANGLAISE

 Épicerie

Une petite ambassade de la gastronomie britannique à Paris. D'Angleterre, d'Écosse ou d'Irlande, cette jolie boutique est une boîte à gourmandises : des corn flakes, du chocolat en poudre Cadbury, des marmelades Cooper Oxford, des cakes et des puddings, toutes sortes de *crisps*, des chutneys, des pickles, des *steak sauce* et aussi de la charcuterie, du bacon, des *haggies*, des thés, des bières et des fameux whiskies.

Dans le panier : des chocolats, des cookies et des sablés.

➟ **Adresse :** 5 cité Wauxhall. M° : République. Tél. : 01 42 00 36 20 ou www.epicerie-anglaise.com

Prix : sachet de biscuits 3,75 € ; cookies Mc Vities 2,85 € ; marmelade 3,95 €.

(?) **Quand ?** Du mardi au vendredi de 10 h à 19 h ; le samedi de 11 h à 19 h.

TANTE EMMA LADEN

Épicerie fine, gourmandise et traditions d'Allemagne

L'Allemagne, entre ses côtes de la Baltique et ses 9 frontières, dévoile des landers aux gastronomies aussi subtiles que celles de nos terroirs français. Au creux du marché couvert, cette boutique est à la fois un vrai garde manger et tout un voyage. 1 500 références de produits de tous les jours ou des grands jours. Des incroyables pains au seigle, des véritables knackige (saucisses) à croquer à l'apéritif par exemple, des préparations de knödel, des boules de purée de pommes de terre pochées pour accompagner un ragoût, ou de Puffer Teig des paillassons de pommes de terre, délicieux avec un mesclun. Et aussi, des cornichons, des moutardes, des soupes, comme la très étonnante Hamburger Aalsuppe (au bœuf et à l'anguille), des salaisons, poissons et saucisses fumées, jambon de Westphalie, salami, Landjager (petites saucisses de bœuf fumées et sèches), jambon de la forêt Noire,… des confitures, des gâteaux secs, des confiseries, des jus de fruits, des thés, des vins, des bières et des eaux de vie… A découvrir.

Dans le panier : des Knackige et des Landjager, une boîte de Knodel et une de Puffer Teig, du pain.

Adresse : Marché Saint-Martin 31-33, rue du Château-d'Eau. M° : Château-d'Eau. Tél. : 01 42 46 51 17 ou www.tante-emma-laden.fr

Prix : 8 Knackige Bayern 4,15 € ; 1 paire de Landjager 1,60 € ; Knodel ou Puffer Teig Pfanni Kartoffel 3 € ; Leinsamen plus 500 g (pain au seigle complet et aux graines de lin) 2,30 €.

Quand ? Du mardi au vendredi de 9 h à 13 h et de 15 h 30 à 19 h 30 ; le samedi de 9 h à 19 h 30 ; le dimanche et les jours fériés de 9 h à 13 h.

GALERIE FRAÎCH'ATTITUDE

Galerie d'art

« De la nourriture du corps à celle de l'esprit… » Dans un espace ultra contemporain, les fruits et les légumes règnent, innovent et rafraîchissent déguisés, devinés, révélés, sublimé, renouvelés par les œuvres exposées. Inattendu.

Depuis quelques mois, une Foodothèque permet de consulter et découvrir un grand choix de la littérature gourmande, livres, recettes, essais…

↠ **Adresse :** 60 rue du Faubourg-Poissonnière. M° : Bonne-Nouvelle ou Poissonnière. Tél. : 01 49 49 15 15 ou www.galeriefraichattitude.fr

Quand ? du mardi au samedi de 13 h à 19 h.

MARCHÉ SAINT-MARTIN

Marché couvert

Une halle gourmande, un garde manger parfumé, un hymne à la gourmandise : poissonnier, primeurs, fromager, bouchers et charcutiers se renvoient les compliments dans une ambiance conviviale.

↠ **Adresse :** 31-33 rue du Château-d'Eau. M° : Château-d'Eau.

Quand ? Du mardi au samedi 8 h 30 13 h et 16 h 19 h 30 ; le dimanche de 8 h 30 à 13 h.

MARCHÉ SAINT-QUENTIN

Marché couvert

Un joli marché qui alterne étals de produits frais et petites boutiques gourmandes. On y vient pour son comptoir poissonnier, le groupement des pêcheurs artisans houatais, réputé pour ses produits de la pêche artisanale de l'Île d'Houat.

➻➙ **Adresse :** 85 bis bd Magenta. M° : Magenta.

🕐 **Quand ?** Du mardi au samedi de 8 h à 13 h et de 15 h 30 à 19 h 30 ; le dimanche de 8 h à 13 h.

11e ARRONDISSEMENT

PARIS - 11e

① Maison Rouyer
② Pause détente
③ Charcuterie traiteur
④ Olio & farina
⑤ La Cocotte

Ⓐ Place Léon Blum
Ⓑ Place de la Bastille
Ⓒ Place de la Nation
Ⓓ Avenue de la République
Ⓔ Avenue Philippe Auguste
Ⓕ Boulevard Richard Lenoir
Ⓖ Place de la République

MAISON ROUYER

Boulangerie pâtisserie

En entrant dans cette petite boulangerie, les viennoiseries taquinent déjà l'œil. Ils sont dodus, les
croissants, rebondis, les pains au chocolat et potelés,
les chaussons aux pommes installés dans la vitrine.
Ils sont surtout prêts à être mangés. À côté, des
pâtisseries tout aussi appétissantes se laissent elles
aussi déguster du regard.

Dans le panier : du pain, des croissants et des
pains au chocolat.

Adresse : 136 rue de la Roquette. M° : Philippe-Auguste.
Tél. : 01 43 79 65 98.

Prix : croissant 0,85 € ; pain au chocolat 1,10 € ; chausson aux
pommes 1,40 €.

Quand ? Du mercredi au dimanche de 7 h 15 à 20 h 30.

PAUSE DÉTENTE

Chocolatier pâtissier

Pour un moment de finesse et de pure gourmandise, ce comptoir chocolaté est le bienvenu.

De jolies pâtisseries très classiques, comme le truffé, la forêt-noire, la dacquoise, le saint-honoré, le craquelin, le bavarois... et la spécialité de la maison, le saint-antoine : un cake aux amandes et aux écorces d'orange tout fin et goûteux. Le choix de bouchées au chocolat noir est séduisant : des fruits confits enrobés de chocolat, des roses des sables aux raisins secs, des tuiles tout chocolat... et l'authentique plaquette de chocolat noir, au lait ou blanc vendue en plaque ou au poids.

Dans le panier : des plaquettes de chocolat, des roses des sables...

→→ **Adresse :** 98 av. Ledru-Rollin. M° : Ledru-Rollin.
Tél. : 01 48 07 22 78.

Prix : rose des sables 2 € ; plaquette de chocolat 100 g 5 €.

Quand ? Du mardi au samedi de 10 h à 20 h ; le dimanche de 10 h à 19 h.

CHARCUTERIE TRAITEUR

Ronceret

Le style rustique de cette maison s'accorde parfaitement aux recettes traditionnelles des patrons. Tout ici dégage la passion et l'amour du métier, du produit et des terroirs. On y trouve donc des préparations maison comme du gratin dauphinois, de la brandade de morue, de la purée, du hachis parmentier, des tomates farcies, du petit salé aux lentilles et, en saison, une succulente choucroute… de vrais petits plats façon campagne ou grand-mère, ceux que l'on cuisine quand on a vraiment le temps. Il y a aussi des jambons et des terrines, des saucisses et des saucissons. Une valeur sûre.

Dans le panier : une portion de purée et des tomates farcies.

Adresse : 138 rue de la Roquette. M° : Voltaire. Tél. : 01 43 79 71 19.
Prix : 4 tomates farcies 12,60 € ; portion de purée 450 g 5,70 €
Quand ? Du mardi au samedi de 8 h à 13 h 15 et de 16 h à 19 h ; le dimanche de 8 h à 13 h 15.

OLIO & FARINA

♡ Épicerie fine italienne

Toute l'émotion de la gastronomie italienne et de la tradition dans une boutique contemporaine. La liste des produits présentés serait longue : on y trouve les spaghettis sardes au piment, les pâtes traditionnelles de la Ligurie, les *trofie* (top avec un pesto), les *riccioli*, les *ferretti* de Sardaigne, les *taglioni*, les tagiatelles, les farfalles… et pour les accommoder des sauces et des bruschettas parfumées (et sans additifs), des tapenades et pâtés d'olives, d'asperges, de roquette, d'artichauts, de poivrons…. Le choix est donc généreux et l'accueil de Nicolas Granier charmant.

Dans le panier : du pesto frais, des trofie et de l'huile d'olive.

- → **Adresse :** 36 rue Keller. M° : Ledru-Rollin. Tél. : 01 48 05 61 64 ou www.olioefarina.com
- **Prix :** pesto frais non pasteurisé 7,49 € ; trofie 3,99 € ; pâté de roquette 180 g 7,49 €, d'asperge 180 g 5,99 €.
- **Quand ?** Le mardi de 11 h à 20 h ; du mercredi au samedi de 11 h à 21 h ; le dimanche de 11 h à 13 h et de 17 h à 21 h.

LA COCOTTE

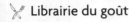 ## Librairie du goût

Parce que la gourmandise, c'est aussi la rencontre, cette jolie boutique rassemble autour de livres, d'une tasse de thé et de petits gâteaux. Livres et accessoires.

- **Adresse :** 5 rue Paul-Bert. M° : Faidherbe-Chaligny. Tél. : 01 43 73 04 02 ou www.lacocotte.net
- **Quand ?** Le mardi et le mercredi de 10 h 30 à 19 h 30 ; du jeudi au samedi de 10 h 30 à 21 h.

12e ARRONDISSEMENT

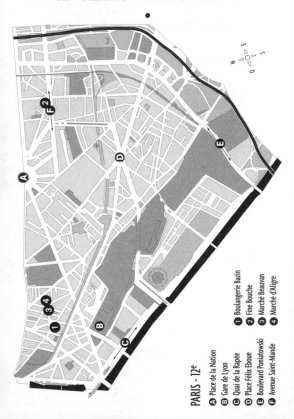

PARIS - 12e

Ⓐ Place de la Nation
Ⓑ Gare de Lyon
Ⓒ Quai de la Rapée
Ⓓ Place Félix Eboue
Ⓔ Boulevard Poniatowski
Ⓕ Avenue Saint-Mande

❶ Boulangerie Bazin
❷ Fine Bouche
❸ Marché Beauvau
❹ Marché d'Aligre

BOULANGERIE BAZIN

 Boulanger

Une boulangerie à l'allure ancienne où l'essentiel est mis sur le produit : le pain. Il se trouve ainsi honoré de saveurs franches et goûteuses, comme les pains fermiers au levain nature, aux raisins ou aux noix ou raisins et orange, découpés au couteau et vendus au poids, ou encore la délicieuse baguette aux 5 graines. À découvrir, la coquetterie du patron : la Bazinette, une belle baguette au levain, une baguette qui a du goût. Le choix de tartelettes salées et leur prix sont aussi enjôleurs.

Dans le panier : une Bazinette, une baguette aux 5 graines et une tartelette épinards et chèvre.

Adresse : 85 bis rue de Charenton. M° : Bastille.
Tél. : 01 43 07 75 21.

Prix : la Bazinette 1,05 € ; baguette aux 5 graines 2,30 € ; pain fermier le kilo 5 €, tartelettes salées 2 €.

Quand ? Du jeudi au mardi de 7 h à 20 h.

FINE BOUCHE

Fromager produits régionaux

Quel plaisir d'entrer dans cette boutique lorsqu'on se demande ce que l'on va bien pouvoir trouver pour le déjeuner ! Il suffit de se laisser tenter, séduire et convaincre par les rayonnages gourmands et généreux du lieu. Ce devait être une fromagerie, mais la passion du couple Soler l'emporte et, dans leur emballement, ils proposent aussi des charcuteries et des plats cuisinés. Tous les produits en charcuterie et fromages sont artisanaux, en provenance de leur région d'origine et ça aussi, ça fait vraiment plaisir.

Dans le panier : des choux farcis et des saucisses d'Auvergne.

➻→ **Adresse :** 3 rue du Rendez-Vous. M° : Picpus. Tél. : 01 46 28 43 63.

Prix : 4 choux farcis 11,80 € ; saucisse d'Auvergne environ 400 g 6,75 €.

Quand ? Du mardi au vendredi de 9 h à 13 h et de 16 h à 19 h ; le samedi de 8 h à 13 h et de 15 h 30 à 19 h ; le dimanche de 9 h à 13 h.

MARCHÉ BEAUVAN

 Marché couvert

Ce n'est pas une halle Baltard mais son architecture avec sa charpente en coque de bateau retourné vaut le coup d'œil. Côté victuailles, le choix est complet : bouchers, poissonniers, traiteurs, primeurs…

➨ **Adresse :** place d'Aligre. M° : Ledru-Rollin.

❓ **Quand ?** Du mardi au samedi de 9 h à 13 h et de 16 h à 19 h 30 ; le dimanche de 9 h à 13 h.

MARCHÉ D'ALIGRE

 Marché couvert

Autour du marché couvert Beauvan vu ci-dessus, les primeurs ont la part belle pour le plus grand plaisir des parisiens. L'un des moins chers de Paris.

➨ **Adresse :** place d'Aligre. M° : Ledru-Rollin.

❓ **Quand ?** Du mardi au samedi de 8 h à 13 h et de 16 h à 19 h 30 ; le dimanche de 8 h à 13 h.

13ᵉ ARRONDISSEMENT

PARIS - 13ᵉ

1. Chez Mireille
2. Au Grand bleu
3. La Petite chaloupe
4. Les Abeilles

A. Place d'Italie
B. Boulevard Vincent Auriol
C. Avenue d'Italie
D. Boulevard Massena
E. Rue de Tolbiac
F. Hôpital La Pitié-Salpêtrière

CHEZ MIREILLE

Boulanger pâtissier

Chez Mireille, ce n'est pas pareil. Cette boutique unique et anodine de la rue, sans marque particulière, réserve bien des surprises. Il se dégage du charme de l'agencement kitch qu'apprécie Mireille et rien ne doit changer. Surtout pas ses pâtisseries, l'onctueux craquant du mille-feuille ou la douceur de la tarte aux fraises… ni ses croissants gonflés, ses beignets joufflus et ses pains au chocolat dorés. Une boutique sourire, faite de vraies valeurs.

Dans le panier : des petits pains au chocolat et des gâteaux.

Adresse : 139 rue Léon-Maurice-Nordmann. M° : Glacière.
Tél. : 01 45 87 24 46.
Prix : croissant 0,95 € ; mille-feuille 1,70 €.
Quand ? Du lundi au vendredi de 7 h à 20 h.

AU GRAND BLEU

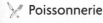 Poissonnerie

Dans cette poissonnerie, les poissons luisent de mille feux sur les paillettes de glace. L'étalage varie selon les arrivages et le choix est de première qualité. L'accueil et les conseils des écaillers permettent d'affiner son choix et même de repartir avec une nouvelle recette. Pour accompagner un apéritif ou égayer l'entrée de son menu, le coin traiteur propose des préparations engageantes d'anchois, de poulpes, de harengs… et des soupes de poissons.

Dans le panier : deux filets de sole et des bouquets.

➡ **Adresse :** 5 rue Jeanne-d'Arc. M° : Nationale. Tél. : 01 45 83 70 78.

Prix : 2 soles 18,60 € ; bouquets 300 g 5,80 €.

Quand ? Du mardi au jeudi de 7 h à 13 h et de 15 h 30 à 19 h 30 ; le samedi de 7 h 30 à 20 h 30 ; le dimanche de 7 h 30 à 14 h.

LA PETITE CHALOUPE

Épicerie océane

Ici se côtoient la Belle-Îloise, la pointe de Penmarc'h, les mouettes d'Arvor, la Quiberonnaise, Ortiz, la Compagnie Bretonne du poisson, Courtin, Bordier, Pont Aven, la maison d'Armorine… Leurs conserves et bocaux enferment le meilleur des océans : sardines, thons, coques, moules, lisettes, sprats, anchois, maquereaux… Au rayon frais, vous trouverez du tarama, du saumon, du flétan, de la truite, de l'anguille et du hareng fumés, et aussi différentes algues, beurres, crèmes, rillettes, soupes, des, galettes et caramels… L'accueil est aussi frais et tonique que l'océan.

Adresse : 7, boulevard de Port-Royal. M° : Gobelins. Tél. : 01 47 07 69 59 www.lapetitechaloupe.fr

Prix : conserves de sardines à partir de 3,30 € ; conserves de coques au naturel 6,30 € ; fiole d'algues nori en paillettes séchées, 15 g, 2,50 € ; beurre Bordier 125 g doux ou salé 2,10 €, aux algues 2,90 €.

Quand ? Du mardi au samedi de 10h à 13h et de 15h à 20 h 30.

LES ABEILLES

 Miel

Une adresse extraordinaire pour les gourmands et les gourmets de miel : le miel d'acacia et de châtaigne se vend au poids, à la tireuse. Ce produit naturel et artisanal rempli de bienfaits est chouchouté et sublimé par le maître des lieux. L'éleveur vous racontera en plus ses techniques, la vie de la ruche, la façon dont l'abeille, infatigable travailleuse, se gorge du sucre des fleurs et des bourgeons pour nous donner le meilleur et comment elle se laisse mener par le bout du nez. Le miel est bien la base des spécialités maison comme la moutarde fine au miel, les sucettes, les bonbons, le nougat ou les nonettes. À découvrir.

Dans le panier : un miel de Paris et du miel de trèfle.

Adresse : 21 rue de la Butte-aux-Cailles. M° : Place-d'Italie ou Corvisart. Tél. : 01 45 81 43 48 ou www.lesabeilles.biz

Prix : miel à la tireuse 500 g 5 € ; miel de Paris 250 g 6,10 € ; miel de trèfle 4,80 € ; moutarde 200 g 4,20 €.

Quand ? Du mardi au samedi de 11 h à 19 h.

14e ARRONDISSEMENT

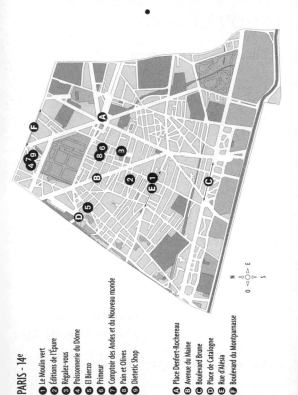

PARIS - 14e

1 Le Moulin vert
2 Éditions de l'Épure
3 Régalez-vous
4 Poissonnerie du Dôme
5 El Bierzo
6 Comptoir des Andes et du Nouveau monde
8 Pain et Olives
9 Dietetic Shop

A Place Denfert-Rochereau
B Avenue du Maine
C Boulevard Brune
D Place de Catalogne
E Rue d'Alésia
F Boulevard du Montparnasse

LE MOULIN VERT

♡ Boulangerie pâtisserie

Voici une autre adresse qui mérite un grand détour, dans un quartier déjà bien fourni en pains et gâteaux. Les croissants gonflés et dorés, la rondeur des brioches, le blond des pains aux raisins l'emportent sur la raison. Des cakes variés, des panettones généreux ou de simples chouquettes promettent de faire de son petit déjeuner le premier festin de la journée. Pour des douceurs inattendues, des fruits confits, fraises, pêches, abricots… des pâtes de fruits à la cerise, à la mûre, à la fraise, à l'ananas, à la poire, au citron… et des chocolats maison, de vrais délices.

Dans le panier : des croissants, un panettone, des pâtes de fruits.

Adresse : 25 rue des Plantes. M° : Alésia. Tél. : 01 45 40 50 93.

Prix : croissant 1,10 € ; panettone 3 € le petit, 14 € le grand ; brioche 1,20 € ; pâtes de fruits 100 g 5,50 €.

Quand ? Du mardi au dimanche de 7 h à 20 h.

RÉGALEZ-VOUS

 Boucherie

Sans aucun doute, un choix précis, exigeant et rigoureux des meilleures espèces : bœuf de l'Aubrac, bœuf de Salers, agneau de Lozère, limousine, volailles de tradition, un savoir-faire pointu et la passion du bon, voilà ce qui anime Hugo Desnoyer et son équipe de fines lames dans la nouvelle boutique, plus grande, à deux pas de la première.

 Dans le panier : une viande goûteuse.

→ **Adresse :** 45 rue Boulard. M° : Mouton-Duvernet ou Denfert-Rochereau. Tél. : 01 45 40 76 67 ou www.regalez-vous.com

Prix : 2 entrecôtes environ 350 g 16,70 €.

Quand ? Du mardi au vendredi de 7 h à 13 h et de 16 h à 20 h ; le samedi de 7 h à 17 h.

POISSONNERIE DU DÔME

 Poissonnier

Pour cette belle poissonnerie à la décoration raffinée et unique, le meilleur de la mer et de l'océan est réuni. Le choix est exclusif : des poissons sauvages des côtes françaises et pêchés la veille. C'est une question de respect de la nature et du client. À chaque saison et à chaque jour sa pêche. Le saumon sauvage, le thon, l'espadon, les maigres, les sardines, les anchois, les lisettes, les daurades, les soles… se trouvent sur l'étal quand leur migration les amène près de nos côtes. Alors, pour le plaisir des yeux et pour celui du palais, il faut s'arrêter devant les comptoirs glacés et se laisser inspirer. L'accueil, lui, est plein de chaleur.

Dans le panier : deux filets de thon sauvage et des écrevisses.

➺ **Adresse :** 4 rue Delambre. M° : Vavin ou Edgard-Quinet.

Prix : 2 filets de thon sauvage 16,80 € ; écrevisses 400 g 7,50 €.

Quand ? Du mardi au samedi de 8 h à 13 h et de 16 h à 19 h ; le dimanche de 8 h à 12 h 30.

EL BIERZO

 Pour une soirée tapas

En dix ans, cette adresse est devenue le «centre de Serrano thérapie» de la capitale... En effet, il est impossible de ne pas devenir un accro de ce jambon exceptionnel ou de ne pas succomber aux *Jamon de Iberica*, *pata negra*, *lomo*, *ceccina*, saucisses ou autres chorizos. Les aficionados de la péninsule Ibérique seront aussi comblés par un choix éloquent de fromages de brebis, de vache et de chèvre. Et si ça ne suffit pas, on trouve, côté épicerie, des conserves de tomates, de tapas, des huiles d'olive, des turrons et, côté cave, des vins régionaux et du cidre naturel.

Dans le panier : charcuteries espagnoles, fromages et épicerie fine.

Adresse : 28 rue de l'Ouest. M° : Gaîté. Tél. : 01 43 20 41 52 ou 06 07 16 55 57.

Prix : 6 belles tranches de jambon Serrano 12,80 € ; 1 bouteille de cidre 3,70 €.

Quand ? Du mardi au samedi de 9 h à 21 h ; le dimanche de 9 h à 13 h.

LES 4 SAISONS

 Primeur

Un coup de cœur pour cette petite halle aux fruits et légumes car la qualité des produits comme l'accueil y sont remarquables. On peut se servir, mais il est tout aussi bien de laisser faire par Monsieur ou Madame qui choisiront les plus beaux. On se fie alors à leurs conseils avisés pour repartir avec des fruits à point. Un autre atout : les prix y sont absolument raisonnables.

Dans le panier : 1 kg de bananes, 2 kakis, des haricots verts et un mesclun.

Adresse : 35 rue Daguerre. M° : Denfert-Rochereau.
Tél : 01 43 20 07 22.

Prix : bananes le kilo 1,90 € ; 2 kakis 1,90 € ; haricots verts 400 g 5,20 € ; mesclun 300 g 2,30 €.

Quand ? Du mardi au samedi de 8 h à 20 h ; le dimanche de 8 h à 19 h 30.

COMPTOIR DES ANDES ET DU NOUVEAU MONDE

 Caviste

Partez pour un voyage dans des pays lointains, à travers des paysages grandioses à la découverte de vignerons qui cultivent traditionnellement la vigne et proposent des cuvées étonnantes, chaleureuses et goûteuses. Des vins du Chili, d'Argentine, d'Afrique du Sud et d'Australie sont ici à la carte. À connaître, absolument, le carmenère, un cépage bordelais excellent sur une viande ou un curry, qui s'épanouit seulement sur les hauteurs chiliennes.

Dans le panier : un tabali 2005 du Chili et un sauvignon blanc d'Afrique du Sud.

Adresse : 19 rue Delambre. M° : Vavin ou Edgard-Quinet. Tél : 01 43 20 03 30.

Prix : tabali 2005 11,20 € ; carmenere de 9,80 € à 15 €.

Quand ? Du mardi au vendredi de 10 h 30 à 12 h 30 et de 14 h 30 à 19 h 30 ; le samedi de 10 h à 13 h 30 et de 15 h à 19 h 30.

PAIN ET OLIVES

Sur le pouce ou pour un buffet

Yiannis, crétois et cuisinier, se régale de la surprise et de la tentation de ses visiteurs. Au comptoir, un choix de mezze, des boulettes aux cinq légumes ou au bœuf, du caviar d'aubergine, des haricots géants, du tarama… Côté plats, la moussaka bien sûr, mais aussi la langue de bœuf et la blanquette de veau, des saucisses grecques… Pour le sucré, yaourt grec nature ou au miel et aux noix, des pâtisseries, de l'halva et des loukoums. Sur les étagères, une sélection de vins crétois, de l'huile d'olive et le must du miel crétois : le Paradosiako.

Dans le panier : spécialités crétoises.

Adresse : 59 rue Daguerre. M° : Denfert-Rochereau.
Tél. : 01 42 18 00 34.

Prix : sur place ou à emporter, sandwich grec 3,80 € ; assiettes 6,80 € et 8,80 € ; plats du jour de 7,80 à 9,80 €.

Quand ? Tous les jours de 11 h à 21 h.

DIETETIC SHOP

 Épicerie restaurant bio

Joss est une visionnaire : depuis 1969, elle s'active derrière ses fourneaux et concocte de petits plats biologiques, hyperbons et extraordinaires. La petite épicerie est garnie des basiques de la diététique et la jolie salle pop, rose et orange permet de s'attabler un moment. L'énergie est aussi dans l'assiette, de l'entrée au dessert. Tout, absolument tout est préparé devant vous. À connaître.

Dans le panier : un champagne bio et des céréales.

→ **Adresse :** 11 rue Delambre. M° : Vavin ou Edgar-Quinet. Tél. : 01 43 35 39 75 ou www.dietetic-shop.fr

Prix : assiettes fraîcheur de 5,40 € à 9,40 € ; le plat chaud garni légumes ou céréales 11,20 € ; jus de fruits frais 25 cl 5,90 €.

Quand ? Du lundi au vendredi, la boutique de 11 h à 22 h 30 et le restaurant de 12 h à 15 h, l'après-midi des plats froids, des potages et des desserts.

15ᵉ ARRONDISSEMENT

PARIS - 15ᵉ

1. Amédée Gamboa
2. Aux produits d'Auvergne – Maison Jacques Boussuge
3. Fromagerie Berthorel
4. Beau et bon – l'Épicerie folle
5. Les byzantins
6. Banana Sun
7. La Route du thé
8. Popote et festin
9. Kitchen Bazaar

A. Hôpital Necker
B. Boulevard Pasteur
C. Rue Vaugirard
D. Place Cambronne

AMÉDÉE GAMBOA

 ## Charcutier traiteur

Voici un comptoir bien rangé, frais et goûteux. Juste au-dessus, une vingtaine de coupes assurent du sérieux de la maison et du savoir-faire du patron. En effet, pâtés, terrines, mousses, galantines et saucissons promettent de bons moments. Le jambon blanc maison et le jambon à l'os sont irrésistibles. Les préparations maison suivent les saisons et assurent des recettes traditionnelles. L'accueil est doux et assuré, le conseil est de mise pour une entrée, un accompagnement, un plat.

 Dans le panier : des terrines et du jambon à l'os.

⇢ Adresse : 89 rue Cambronne. M° : Cambronne. Tél. : 01 47 83 79 85.

Prix : terrine de campagne 6,70 € ; 4 tranches de jambon à l'os 7,80 €.

Quand ? Du mardi au samedi de 9 h à 13 h et de 15 h 30 à 20 h ; le dimanche de 9 h à 13 h.

AUX PRODUITS D'AUVERGNE MAISON JACQUES BOUSSUGE

Spécialités régionales

M. Boussuge est un fin gourmand qui parle avec amour des produits de sa région. Dans sa petite boutique, quasiment rien n'a changé depuis 1923 et les vieux comptoirs en bois donnent le charme rustique idéal pour ces gourmandises du terroir. La carte est variée en salaisons et charcuteries : jambons entiers, saucisse à la perche, saucisse sèche de Corrèze, rosette, saucisson de montagne séché sous la cendre, poitrine fumée, andouillette de Lyon, morteau, rillettes, pâtés et rillons... Des spécialités comme l'aligot, les tripoux, la fouace et des fromages, des vins, des fruits secs viennent compléter cette liste.

Dans le panier : un petit salé et une fouace.

→ **Adresse :** 111 rue Cambronne. M° : Cambronne. Tél. : 01 47 34 24 69 ou http://auvergnat.monsite.orange.fr

Prix : petit salé, pour 4,21 €, fouace 6,50 €.

Quand ? Du mardi au samedi de 8 h 45 à 13 h et de 16 h 15 à 20 h ; le dimanche et les jours fériés de 8 h 45 à 13 h.

FROMAGERIE BERTHOREL

💝 Fromager crémier

Les amateurs ne s'y tromperont pas, cette adresse est pleine de bons goûts et de valeurs sûres. M. Berthorel, en professionnel avisé, ne choisit que des fromages issus de petits producteurs artisans et cela lui permet de proposer un choix rare à des prix très raisonnables. Ses habitués ne jurent que par son sainte-maure cendré, son ossau-iraty au piment d'Espelette de six mois d'âge, son époisses affiné maison au marc et son langres, un vieux fromage de Bourgogne proposé nature ou affiné au marc.

🧺 **Dans le panier :** un sainte-maure, un pot de confiture de lait et des yaourts artisanaux.

➻➙ **Adresse :** 66 rue du Commerce. M° : La Motte-Picquet–Grenelle. Tél. : 01 42 50 36 06.

💶 **Prix :** Sainte-maure 5,90 € ; yaourt de Kerheü 1,50 €.

❓ **Quand ?** Du mardi au vendredi de 8 h 30 à 13 h et de 16 h à 20 h ; le samedi de 8 h 30 à 20 h et le dimanche de 9 h à 13 h.

BEAU ET BON – L'ÉPICERIE FOLLE

Follement gourmand

Toutes les fantaisies de la gourmandise sont réunies dans cette jolie boutique. Des produits rares, sélectionnés auprès de petits artisans producteurs passionnés ; des accessoires beaux et intelligents, qui surprennent et séduisent.

Un choix incroyable d'huiles, de vinaigres, de moutardes, de condiments, de tapas, de sauces, d'épices, de graines, de poivres, de produits frais, de conserves, de pâtes et de riz pour faire de son repas un feu d'artifice de saveurs et de couleurs.

Dans le panier : de la gelée de romarin, un chutney de dattes à l'orange, une sauce à la crème d'artichaut…

Adresse : 81 rue Lecourbe. M° : Sèvres-Lecourbe. Tél. : 01 43 06 06 53 ou www.beauetbon.com

Prix : gelée de romarin, 125 g, 6,10 € ; poivre de Sechouan, 90 g, 4,60 €.

Quand ? Du mardi au samedi de 10 h 30 à 13 h et de 15 h à 19 h 30 ; le dimanche de 10 h 30 à 13 h.

LES BYZANTINS

 Traiteur grec

Un charmant couple s'organise avec plaisir pour faire découvrir les saveurs de son cher pays. Madame cuisine tous les plats proposés : les *tzoutzoukakia*, bœuf sauce tomate, les *papoutsaki*, bœuf aux légumes, la moussaka, les filets de maquereau, les poivrons farcis, les *kefte*, les boulettes à la viande ou aux légumes, les mezze… une bonne vingtaine de recettes dont elle préserve les secrets. Monsieur accueille et sert, conseille et bavarde. Le dépaysement est assuré.

 Dans le panier : tzoutzoukakia, kefte…

- **Adresse :** 11 place Adolphe-Chérioux. M° : Vaugirard. Tél. : 01 42 50 17 20.
- **Prix :** sandwich pita 5 € ; assiette Byzantin 6 € ; assortiments et formules à 8 et 9 €.
- **Quand ?** Du lundi au samedi, vente à emporter de 11 h à 21 h 30, dégustation sur place de 11 h à 20 h 30.

BANANA SUN

 Fruité

Pour s'offrir un beau dessert ou changer du bouquet de fleurs et de la bouteille de vin, il y a la corbeille de fruits ! Banana Sun, c'est un catalogue de corbeilles : la Parisienne, la New York, la Luna, la Palace ou la Viking et même la Boutchou, avec un joli doudou pour un cadeau de naissance… La boutique est aussi un atelier, les réalisations sont donc faites sur place et en quelques minutes. Cela permet de personnaliser son choix. Et c'est aussi juste le temps de déguster un savoureux «mix» de jus de fruits frais.

Dans le panier : des fruits, en corbeille, en brochettes ou en smoothie.

→ **Adresse :** 27 rue Péclet. M° : Vaugirard. Tél. : 01 45 32 00 00 ou www.banana-sun.fr

Prix : corbeilles à partir de 12 € ; smoothies de 2,50 € à 4,80 €.

Quand ? Du mardi au vendredi de 14 h à 20 h ; le samedi de 9 h à 20 h, commande par téléphone et livraison à Paris possibles.

LA ROUTE DU THÉ

Thés

Un beau comptoir, des meubles en bois laqués et des étagères dédiées aux thés du monde. Pour s'offrir un moment raffiné, des sélections rares, des jolies théières, des fines tasses, des beaux plateaux et des conseils avisés.

 **Dans le panier :** des thés rares.

-  **Adresse :** 2 rue Mademoiselle. M° : Commerce : Tél. : 01 45 33 22 07. Voir aussi dans le 5ᵉ.
- **Prix :** thé vert japonais 100 g 13,90 €.
- **Quand ?** Du mardi au samedi de 11 h à 19 h 30.

POPOTE ET FESTIN

Atelier de cuisine

Voici un concept original qui devrait atténuer le stress de la préparation de son prochain dîner avec belle-maman ou tout simplement s'assurer de varier et d'équilibrer son alimentation. Deux choix : Popote, pour 2 personnes et pour tous les jours. Le panier renferme 4 fiches recettes et leurs ingrédients frais préproportionnés pour 4 jours. Festin, pour régaler et surprendre vos invités, avec un panier composé d'une fiche recette pour une entrée, un plat ou un dessert et des ingrédients pour 3 à 4 personnes. Avec cette idée, on réalise que ce n'est pas si difficile d'être un cordon-bleu…

Dans le panier : une fiche recette et ses ingrédients.

Adresse : 3 rue Léon-Séché. M° : Vaugirard ou Félix-Faure. Tél. : 01 71 18 18 24 ou www.popoteetfestin.fr

Prix : panier Popote 49 € ; panier Festin entrées 14 € ou 15 € ; plats de 30 € à 35 €, dessert 14 € ou 15 €.

Quand ? Du mardi au vendredi de 10 h 30 à 13 h 30 et de 15 h à 20 h ; le samedi de 10 h 30 à 20 h. Réserver 24 h à l'avance.

KITCHEN BAZAAR

 Ustensiles et accessoires de cuisine

Cette boutique est l'une des quatre annexes d'une enseigne aussi éloquente que séduisante.

Trois essentiels : des lignes élégantes, rustiques ou contemporaines. Des matières sobres et efficaces. Des marques de qualité : Mastrad, Beka, Hotwok, Cristel, Screwpull…

Un plus, l'accueil : assuré et passionné. Enfin, les modèles se déclinent pour les solos, les duo ou les tribus. Une adresse irrésistible donc pour se faire plaisir ou faire plaisir.

Dans le panier : une bombe à chantilly et des verrines coeur.

➟ **Adresse :** 11, avenue du Maine. M° : Montparnasse. Tél. : 01 42 22 91 17 www.kitchenbazaar.fr

Prix : Coutellerie de 7,50 € à 120 € ; verrines en porcelaine cœur, ovale, pot, 3,50 € ; bombes à chantilly de 39,90 € à 82 €. Remarqué aussi le choix de serviettes en papier Marimekko, les 20, 5,40 €.

Quand ? Du lundi au samedi de 10 h à 19 h.

16ᵉ ARRONDISSEMENT

PARIS - 16ᵉ

1. Aux délices de Passy
2. La Ferme de Passy
3. La Cave de Passy
4. Le Musée du vin
5. Marché Saint-Didier

Ⓐ Arc de Triomphe
Ⓑ Place Victor Hugo
Ⓒ Place du Trocadéro
Ⓓ Lycée Janson de Sailly
Ⓔ Rue de Passy
Ⓕ Avenue Foch

AUX DÉLICES DE PASSY

 ## Boulanger pâtissier

Une adresse sans tralalas et une carte sincère qui semblent connaître un petit succès dans le quartier. En plus des viennoiseries, des pains traditionnels et spéciaux, les pâtisseries attirent l'œil : le crumble aux fruits rouges, la tuile géante aux amandes ou le palmier XXL tentent tous les gourmands. Les brownies, les financiers, les flans aussi.

 Dans le panier : un crumble et un flan.

⇢➤ **Adresse :** 46 rue de Passy. M° : Passy ou RER C : Champ-de-Mars–Tour-Eiffel.

Prix : brownie 2 € ; crumble 2,50 € ; flan nature 1,55 € ; palmier 1,45 € ; tuile aux amandes 2 €.

(?) **Quand ?** Du lundi au samedi de 7 h à 19 h 30.

LA FERME DE PASSY

 Artisan fromager

Les spécialités de la maison sont ici le vendangeur, crémeux et enrobé de raisins marinés au rhum, l'époisses affiné au marc de Bourgogne et le stilton, un bleu anglais, affiné un mois dans du porto. Voilà, c'est annoncé. Et toutes ces autres étiquettes ? Des AOC, des fermiers, des chèvres, des brebis, des persillés, des pâtes cuites La carte de France et d'Europe des vraies traditions laitières joliment présentée.

Dans le panier : un époisses, un reblochon et du comté.

Adresse : 39 rue de l'Annonciation. M° : La Muette.
Tél. : 01 42 88 14 93.

Prix : l'époisses nature 7,90 € ; un demi-reblochon 6,80 € ; comté 300 g 5, 20 €.

Quand ? Du mardi au samedi de 8 h 30 à 19 h 30 ; le dimanche de 8 h 30 à 13 h 30.

LA CAVE DE PASSY

 Caviste

Une boutique de poche tenue par le père puis par son fils, qui présente un choix conséquent de vins de propriété. Avec des étiquettes connues et d'autres moins, M. Audebert se fait fort de recommander la bouteille qui accompagnera parfaitement votre prochain plat. En plus de sa sélection, tous les mois, il propose des offres découvertes à prix doux.

Dans le panier : de bons crus ou un spiritueux.

➳ **Adresse :** 1 rue de Passy. M° : Passy ou RER C : Champ-de-Mars–Tour-Eiffel. Tél. : 01 46 47 77 12.

Prix : offres découvertes de 2,50 € à 4,50 €.

Quand ? Du lundi au samedi de 8 h 30 à 20 h 30 ; le dimanche de 9 h à 20 h.

LE MUSÉE DU VIN

 Œnologie

Les anciennes carrières de Passy abritent depuis 1984 des caves maintenant réservées à ce musée insolite. Au fil des galeries, de la récolte à la mise en bouteille, tout l'art et la science de la vinification sont réunis. La visite est riche d'enseignements et des dégustations sont organisées afin d'apprécier le goût et la texture des plus grands vins.

➵ **Adresse :** rue des Eaux, 5 square Charles-Dickens. M° : Passy ou RER C : Champ-de-Mars–Tour-Eiffel. Tél. : 01 45 25 63 26.

€ **Prix :** entrée visite libre et dégustation d'un verre de vin : adulte 8,90 €, senior 7,50 €, étudiant 7 €, gratuit pour les moins de 14 ans.

? **Quand ?** Du mardi au dimanche de 10 h à 18 h.

MARCHÉ SAINT-DIDIER

 Marché couvert

Tous les plaisirs de la bouche pour les gourmands et les gourmets qui apprécieront les enseignes artisanales de ce marché.

➠➤ **Adresse :** rues Mesnil et Saint-Didier. M° : Saint-Victor.

❓ **Quand ?** Le mardi et du jeudi au samedi de 7 h 30 à 14 h.

17e ARRONDISSEMENT

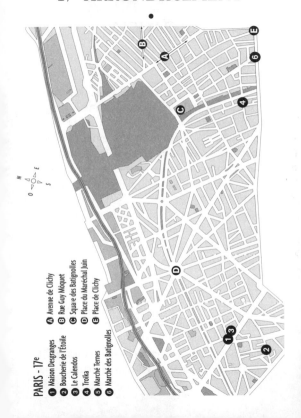

PARIS - 17^e

1. Maison Desgranges
2. Boucherie de l'Étoile
3. Le Calendos
4. Troïka
5. Marché Ternes
6. Marché des Batignolles

A. Avenue de Clichy
B. Rue Guy Moquet
C. Square des Batignolles
D. Place du Maréchal Juin
E. Place de Clichy

MAISON DESGRANGES

 ## Pâtissier boulanger

Voici une adresse réputée pour ses pâtisseries et qui réserve toujours de belles surprises dans ses créations. L'éclair au chocolat de la maison a été élu le meilleur de Paris en 2006. Aussi les mille-feuilles, tartelettes, opéras, saint-honoré… rivalisent-ils de beauté pour se faire remarquer. Pâtisseries et entremets sont délicieusement légers. Les tartes et les bavarois sont travaillés selon les saisons pour préserver le meilleur de chaque fruit. L'authentique se remarque aussi dans la qualité des viennoiseries et des pains.

Dans le panier : des éclairs au chocolat et au café.

Adresse : 5 rue Pierre-Demours. M° : Pereire. Tél. : 01 45 74 01 87 ou www.maison-desgranges.com
Voir aussi dans le 16e.

Prix : éclair au chocolat ou au café 2,45 € ; mille-feuilles 2,45 €.

Quand ? Tous les jours de 7 h à 20 h, fermé le mardi.

BOUCHERIE DE L'ÉTOILE

 Boucherie

Le patron a été garçon boucher pendant dix-sept ans ici et a repris la succession il y a peu. C'est une question de passion et de conviction. Il n'a rien changé à l'étal typique du boucher, en bois blond, creusé au milieu et hachuré par les lames de couteau. Il travaille avec les mêmes producteurs et affirme ses choix : une viande limousine mûrie deux semaines au moins et un veau limousin élevé sous la mère. C'est comme ça que c'est bon ! Des confits landais trônent sur l'étagère. Une boutique sobre, simple et sérieuse, indispensable.

 Dans le panier : une côte de bœuf pour 2.

➳ **Adresse :** 27 rue des Acacias. Mᵉ : Charles-de-Gaulle–Étoile (sortir avenue de la Grande-Armée). Tél. 01 43 80 12 63.

💶 **Prix :** une côte de bœuf 530 g 17,60 €.

(?) **Quand ?** Du mardi au samedi de 7 h 30 à 13 h 15 et de 16 h à 20 h.

LE CALENDOS

Fromager

Oui, la spécialité de la maison est le camembert. Ce fromage cossu de Normandie a obtenu son appellation d'origine contrôlée en 1983. Il se distingue par son lait cru, parce qu'il est moulé à la louche et affiné au moins vingt et un jours. Il se déguste seul ou avec une lichette de beurre sur du bon pain. Toute cette science mérite donc le détour pour découvrir les sélections charnues et goûteuses de ce fromager passionné. Pour dépanner, il a aussi de délicieuses soupes artisanales au frais.

Dans le panier : une plaquette de beurre d'Échiré et un camembert.

Adresse : 11 rue Pierre-Demours. M° : Wagram. Tél. : 01 45 74 51 82.

Prix : camembert super médaillon 250 g 4,80 € ; demi-plaquette de beurre d'Échiré 1,50 € ; soupe artisanale 1 l 3,80 €.

Quand ? Du mardi au samedi de 9 h à 13 h et de 15 h à 19 h.

TROIKA

Épicerie de l'Est

15 m² pour exposer l'essentiel des cuisines slaves : des conserves russes, des bocaux bulgares, des sauces géorgiennes, des jus de fruits arméniens, des vins géorgiens, des vodkas russes et polonaises, des bières russes et les recommandations d'Andrei, originaire de Moscou, pour trouver l'inattendu !

Dans le panier : des sauces géorgiennes et du saumon fumé.

Adresse : 92 rue des Dames. M° : Villiers. Tél. : 01 44 70 00 48.

Prix : jus de grenade arménien 3,80 € ; conserves de légumes cuisinés 3,70 €.

Quand ? Du lundi au samedi de 11 h à 19 h 30.

MARCHÉ TERNES

 ## Marché couvert

Une jolie halle pour présenter le meilleur des produits régionaux. Boucherie, charcuterie, poissonnerie, primeur et traiteurs entonnent chaque matin un hymne à la gourmandise.

➙ **Adresse :** 8 bis rue Lebon. M° : Porte-Maillot.

🕐 **Quand ?** Du mardi au samedi de 7 h 30 à 13 h et de 16 h à 19 h 30 ; le dimanche de 7 h 30 à 13 h.

MARCHÉ DES BATIGNOLLES

 ## Marché bio

Des produits artisanaux trônent fièrement sur des étals sans clinquant, car ici l'essentiel est le goût et le naturel.

➙ **Adresse :** bd des Batignolles, terre-plein entre le n° 34 et le n° 48.

🕐 **Quand ?** Le samedi de 9 h à 14 h.

18ᵉ ARRONDISSEMENT

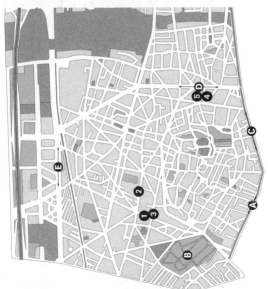

PARIS - 18ᵉ

1. Delmontel
2. Bonthés & accessoires
3. Chez Virginie
4. Objectif terre
5. Le marché Dejean

A. Boulevard de Clichy
B. Cimetière de Montmartre
C. Boulevard de Rochechouar
D. Boulevard Barbès
E. Boulevard Ney
F. Rue Marcadet

DELMONTEL

✕ Boulanger pâtissier

Arnaud Delmontel a décroché le 1er prix de la baguette de Paris en 2007, avec sa création, la Renaissance. Croustillante et moelleuse, au sel de Guérande, elle peut se manger seule en cinq minutes.

 Dans le panier : une baguette Renaissance, un croissant et un minikouglof.

➺➡ **Adresse :** 57 rue Damrémont. M° : Lamarck-Caulaincourt. Tél. 01 42 64 59 63 ou www.arnaud-delmontel.com

📧 **Prix :** baguette Renaissance 1,10 € ; croissant 1,05 €.

❓ **Quand ?** Du mardi au samedi de 7 h à 20 h 30 ; le dimanche de 7 h à 14 h.

BONTHÉS & ACCESSOIRES

 Thés

Une toute petite boutique, de la musique classique, un charmant hôte et 230 variétés de thés, dont les plus rares du monde.

Ce passionnant passionné propose une dégustation et raconte les thés. Le charme persiste en découvrant les douceurs sucrées composées à partir des mêmes thés, des pralines au thé noir et aux amandes, des confitures au thé, pommes et poires, aux noix… et des gâteaux artisanaux.

On y trouve tous les ustensiles du *cha no yu*, la cérémonie japonaise, du *gon gfu cha*, la cérémonie chinoise, de très jolies boîtes, des coffrets et des mallettes.

Dans le panier : du thé bleu, des pralines au thé noir et aux amandes, du miel au ginseng de Corée.

Adresse : 157 rue Marcadet. M° : Lamarck-Caulaincourt. Tél. : 01 55 79 76 52.

Prix : thés 100 g 3 à 40 € ; tisanes 100 g de 4,30 € à 6,50 €.

Quand ? Du mardi au dimanche de 10 h 30 à 13 h 30 et de 15 h à 20 h 30.

CHEZ VIRGINIE

Fromagerie crèmerie

Une version au féminin du travail d'affineur que Virginie a acquis depuis l'enfance avec son père et son grand-père. Pour le prouver, elle sélectionne ses fermiers et ses producteurs. Elle affine dans ses caves, sous la boutique, selon les saisons, quelques semaines ou plusieurs mois, des fromages de vache, de chèvre et de brebis. Sa touche à elle : des raisins secs, des pétales de roses, des herbes... C'est simple : tous ses fromages sont prêts à être dévorés.

Dans le panier : un vacherin et un vieux salers.

Adresse : 54 rue Damrémont. M° : Lamarck-Caulaincourt. Tél. : 01 46 07 76 54.
Prix : 170 g de vieux salers, 7,20 €.
Quand ? Du mardi au samedi de 9 h 30 à 13 h et de 16 h à 20 h ; le dimanche de 10 h à 13 h.

OBJECTIF TERRE

 Café-épicerie bio

Un bar à jus et un salon gourmand pour se faire bichonner et s'occuper de soi.

Côté épicerie, un choix précieux de produits bio et pour certains équitables. Un rayon sans sucre, un autre sans sel, des nourritures pour les bébés, des plantes oubliées comme l'amarante ou l'ortie… Côté café, à toute heure, un café, noir ou avec un nuage de lait de brebis, un thé, une tisane ou un jus carotte-orange, orange-kiwi-gingembre ou pomme-betterave juste pressé. Et pour un déjeuner zen, il y a l'assiette végétale et un thé japonais.

 Dans le panier : des céréales, des graines à germer.

→ **Adresse :** 85 rue Myrha. M° : Chateau-Rouge. Tél. : 01 42 52 96 93.

Prix : café bio 1,90 € ; café au lait de brebis 2,50 €.

(?) **Quand ?** Du mardi au vendredi de 10 h 30 à 14 h 30 et de 16 h à 19 h ; le samedi de 10 h 30 à 19 h.

LE MARCHÉ DEJEAN

Africain exotique

Des étals, de toutes petites gargottes remplies de sacs de riz, de semoule, de légumes, d'épices, de poissons séchés…

➻ **Adresse :** rue Dejean, rue Poulet et rue des Poissonniers. M° : Château-Rouge.

🕐 **Quand ?** Tous les matins du mardi au dimanche.

19e ARRONDISSEMENT

PARIS - 19e

1 La Boulangerie par Véronique Mauclerc
2 Boucherie de la Celloise
3 Maison Courboulay
4 Chapeau melon
5 Mon oncle le vigneron
6 Les halles de l'Asie
7 Marché Secrétan
8 Vents et marée

A Parc des Buttes Chaumont
B Avenue Jean-Jaurès
C Canal de l'Ourcq
D Porte de Pantin
E Rue de Crimée

LA BOULANGERIE PAR VÉRONIQUE MAUCLERC

♡ Boulangerie

Une adresse rare à deux pas du parc des Buttes-Chaumont : la boutique des années 1920 est classée mais le « plus », c'est le four centenaire que l'on aperçoit au fond de la boutique. Rare aussi parce que les recettes de Véronique Mauclerc, avec farine bio et levain naturel pour base ajoutés à une bonne dose de créativité, donnent des pains excellents. Une table d'hôte permet de bruncher ou goûter tranquillement.

🧺 **Dans le panier :** une fougasse à la cannelle et aux pistils de safran.

↝ **Adresse :** 83 rue de Crimée. M° : Botzaris. Tél. : 01 42 40 64 55.

💶 **Prix :** pavé aux châtaignes 3,40 € ; brunch salé 10,40 € ; thé de 2,20 € à 3,20 € ; café 2,10 € ; chocolat maison 2,90 € ; tarte au sucre cœur 2 € ; éclair chocolat ou café 3,10 € ; tarte fine chocolat banane 2,90 € ; Buttes Chaumont 4,60 €.

❓ **Quand ?** Du jeudi au lundi de 8 h à 20 h.

BOUCHERIE DE LA CELLOISE

 Boucherie

Une adresse recommandée pour ses blondes d'Aquitaine, la parthenaise, ses limousines, son veau du Limousin, ses agneaux de Lozère et ses volailles des Landes. La tradition est donc là, le savoir-faire se mesure dans les filets, steaks, rumstecks, tournedos, rôtis ou gigots que l'on trouve ici sans chabada. L'essentiel des saveurs se retrouve alors dans l'assiette. L'accueil est comme la maison : plaisant.

Dans le panier : 4 côtelettes d'agneau et 450 g de steak haché.

Adresse : 105 rue de Belleville. M° : Belleville. Tél. : 01 42 08 58 46.
Prix : 4 côtelettes d'agneau 14,80 € ; 450 g de steak haché 7,10 €.
Quand ? Du mardi au dimanche de 8 h à 13 h et de 15 h 30 à 19 h 45.

MAISON COURBOULAY

Boucherie charcuterie

Sur la place juste à la sortie du métro, la vitrine attire tout de suite. M. Courbalay prépare sa charcuterie et ça se voit. Donc : ses terrines sont irrésistibles, ses pâtés et son jambon sont plus qu'appétissants. Ses rillettes ont été récompensées plus d'une fois. Si la boutique est petite, le choix est grand et de première qualité. Si tout le monde s'active derrière les comptoirs, personne n'oublie le petit mot et le conseil qui eux aussi feront toujours la différence.

Dans le panier : une terrine, des rillettes et du boudin noir.

➞ Adresse : 110 rue de Meaux. M° : Laumière. Tél. : 01 42 08 71 64.

Prix : terrine de campagne environ 200 g 6,76 € ; boudin noir 450 g 7,80 €.

Quand ? Du mardi au samedi de 8 h à 13 h et de 15 h 30 à 19 h 30 ; le dimanche de 8 h à 13 h.

CHAPEAU MELON

 Caviste – table d'hôtes

Une petite échoppe consacrée aux vins biologiques et une arrière-salle réservée aux plaisirs de la table. Un fourneau, quelques tables et une carte du jour. Préparée au retour du marché bio, elle se révèle audacieuse et inventive.

Le menu est unique avec 4 plats, servis façon dégustation dans de grandes assiettes.

Comme l'espace est minuscule, qu'il n'y a que 4 ou 5 tables et que les gourmands sont aussi bavards, l'ambiance peut très vite devenir conviviale.

 Dans le panier : du vin bio.

➝ Adresse : 92 rue Rébeval. M° : Pyrénées. Tél. : 01 42 02 68 60.

Prix : table d'hôtes, menu unique 4 plats 28 € ou 29 €.

Quand ? Boutique du mercredi au dimanche de 16 h à 20 h ; table d'hôtes sur réservation du jeudi au dimanche de 20 h à 22 h 30.

MON ONCLE LE VIGNERON

Épicerie, caviste, table d'hôtes

Sa sélection d'épicerie est courte mais savoureuse. Les conserves proviennent d'artisans producteurs traditionnels, comme les P'tits Pâtés du Nord qui concoctent des pâtés aux fines herbes, à l'ail fumé du Nord, aux échalotes ou aux piments. Comme celles du Pays basque d'Anne Rozès : chichons et hure de porc, grattons de canard au piment d'Espelette ou boudin noir exceptionnel. Les salaisons proviennent du Pays basque et sont estampillées Pierre Oteiza. Côté cave, ce sont des vins issus de l'agriculture raisonnée, de petites productions goûteuses. Il y a aussi le vin des vignes de Pascal Flaschembaum. Un cépage rare de la région du Palatinat en Allemagne, le Domina Trocken.

L'espace est agréable, la cuisine est ouverte sur la salle, on peut choisir de s'attabler et de goûter la recette du jour de Pascal. Et là, on en redemande.

Dans le panier : des pâtés, des rillettes et des grattons.

➻➙ Adresse : 2 rue Pradier. M° : Pyrénées. Tél. : 01 42 00 43 30.

Prix : pâtés, rillettes, grattons à partir de 5,50 € ; conserve de boudin noir 5,80 € ; p'tits pâtés du Nord 5,50 € ; bouteille de Domina Trocken 8,80 € ; table d'hôtes, dîner de 25 à 30 €.

Quand ? Épicerie, du mardi au samedi de 11 h à 14 h et de 18 h à 1 h ; table d'hôtes, sur réservation, à partir de 20 h 30.

LES HALLES DE L'ASIE

Supermarché asiatique

Une adresse insolite à visiter. À l'étage de ce magasin, un choix ahurissant de denrées asiatiques rappelle que, décidemment, cette gastronomie est variée et subtile. C'est un vrai petit Chinatown où se bousculent toutes les nationalités, principalement les Asiatiques qui trouvent ici presque tous les produits de base de leur cuisine quotidienne et de fête, à bas prix. Un rayon frais avec toutes sortes de légumes et d'herbes, un rayon de poissons et un étal de viandes, pour initiés, sont très vite dévalisés. Au fond, les derniers rayons débordent de vaisselle et d'ustensiles à des prix défiant toute concurrence.

🧺 **Dans le panier :** des porcelaines, du riz, des épices et des racines.

➻➙ **Adresse :** 19 rue de Belleville. M° : Belleville. Tél. : 01 42 38 18 98.

💶 **Prix :** 1 kg de riz gluant 1,50 € ; 2 feuilles de bananiers 2 € ; 4 bols à riz 4,40 €.

⏱ **Quand ?** Du mardi au dimanche de 9 h à 20 h 30.

MARCHÉ SECRÉTAN

✕ Marché couvert

Des produits régionaux disposés sur des comptoirs animés et colorés. Une ambiance provinciale et conviviale d'où l'on repart aussi avec de nouvelles recettes.

➻➙ **Adresse :** 33 av. Secrétan. M° : Secrétan.

⏱ **Quand ?** Du mardi au jeudi de 8 h 30 à 19 h 30 ; le vendredi et le samedi de 8 h 30 à 20 h ; dimanche de 8 h à 14 h.

VENTS ET MARÉE

 Poissonnier

Une grande boutique pour de petits et de gros poissons de mer et quelques fois de rivière... Dans les viviers, des homards bretons, des couples de tourteaux et une belle langouste royale bretonne, directement pêchés, semblent annoncer que, ici, on ne badine pas avec la qualité.

En effet, Greg ne choisit que les pêches de petits bateaux. Dès leur retour de mer, il les appelle, prend la commande et la reçoit le lendemain matin, pour nous.

Dans le panier : 2 filets de bar et 2 filets de flétan.

Adresse : 100 rue de Meaux. M° : Laumière. Tél. : 01 42 40 66 36.

Prix : filets de bar 14,90 €, filets de flétan 16,80 €.

Quand ? Du lundi au vendredi de 9 h à 13 h et de 16 h à 19 h 15 ; le samedi de 9 h à 19 h 15 ; le dimanche de 9 h à 13 h.

20ᵉ ARRONDISSEMENT

PARIS - 20ᵉ

❶ Boulangerie Isabelle
et Valérie - La flûte Gana
❷ Pâtisserie de l'église
❸ Boucherie Le Lann
❹ La cave aux fromages
❺ Brûlerie de Jourdain

Ⓐ Place Gambetta
Ⓑ Boulevard Ménilmontant
Ⓒ Boulevard de Charonne
Ⓓ Place de la Porte de Bagnolet
Ⓔ Rue des Pyrénées

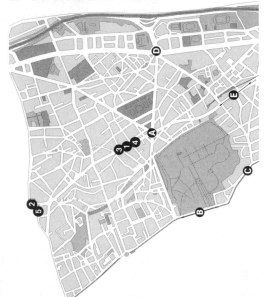

BOULANGERIE ISABELLE ET VALÉRIE LA FLÛTE GANA

Boulangerie pâtisserie

La Gana de M. Ganachaud reprend la recette de la flûte parisienne des années 1930, croquante et fondante, goûteuse, et son retour est fort apprécié de tous les gourmets. Isabelle et Valérie Ganachaud, maîtres boulangers, perpétuent la tradition et leur savoir-faire se mesure chaque jour, dès le matin, en dégustant cette baguette encore tiède ou pour les lève-tard à la fournée de 17 heures.
Un choix de pains, complets, de seigle, aux raisins, aux noix, aux noisettes… des viennoiseries gourmandes font de la maison une des meilleures du quartier.

Dans le panier : une baguette Gana.

Adresse : 226 rue des Pyrénées. M° : Gambetta. Tél. : 01 43 58 42 62 ou www.gana.fr.
Prix : baguette gana 0,95 € ; chausson aux pruneaux 1,30 €.
Quand ? Du mardi au samedi de 7 h à 20 h ; le dimanche de 7 h à 13 h.

PÂTISSERIE DE L'ÉGLISE

 ## Pâtisserie traiteur

Un hymne aux plaisirs sucrés se joue là tous les jours. Devant les vitrines de cette pâtisserie, de jolies compositions font les stars. Biscuits, ganaches, bavarois, tartes et autres recettes envoûtantes se laissent admirer. Les compositions sont des poèmes : le Samana, pain d'épice au thé russe à la bergamote, biscuit chocolat craquant aux noisettes, éclats de fèves de cacao, crème au chocolat de Saint-Domingue, ou le Caméloire, pain de Gênes, crème légère à la poire, émincé de poire caramel, caramel et noix de pécan, ou encore le Maïdo, biscuit chocolat, macaron vanille, crème chocolat et suprême vanille bourbon.

 Dans le panier : un Maïdo et un Caméloire.

➵ **Adresse :** 10 rue du Jourdain. M° : Jourdain. Tél. : 01 46 36 66 08 ou www.caradou.com.

💶 **Prix :** pâtisseries individuelles, le Maïdo 4,90 € ; le Caméloire 5,80 €.

(?) **Quand ?** Le lundi de 8 h à 14 h et de 15 h à 19 h 45 ; du mardi au vendredi de 9 h à 14 h et de 15 h à 19 h 45 ; le samedi de 9 h à 19 h 45 ; le dimanche de 9 h à 18 h 30.

BOUCHERIE LE LANN

✕ Maître boucher

Les affiches colorées placardées à l'entrée de cette minuscule boucherie annoncent joyeusement les plats, préparations et spécialités de la maison. Celles du jour ou celles de toujours car, depuis 1922, on s'agite ici et les couteaux virevoltent. Il faut dire que la liste des recettes est aussi impressionnante qu'originale. Des viandes racées sont à la base de toutes ces dégustations si bien que, pour se déterminer et se laisser tenter, un fascicule vous est remis. Le service est cordial et la qualité reconnue.

Dans le panier : une longe de veau aux baies roses ou une fondue bourguignonne.

➻ **Adresse :** 242 bis rue des Pyrénées. M° : Gambetta.
Tél. : 01 47 97 12 79.

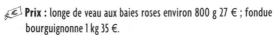

Prix : longe de veau aux baies roses environ 800 g 27 € ; fondue bourguignonne 1 kg 35 €.

Quand ? Du mardi au samedi de 8 h 30 à 12 h 30 et de 15 h 30 à 19 h 30 ; le dimanche de 8 h 30 à 12 h 30.

LA CAVE AUX FROMAGES

Fromager

Une belle adresse très complète dans ses choix et surtout très appétissante. Tout l'alphabet fromager se trouve au comptoir, il suffit de se laisser guider. Parmi les plus rares, le bleu de Termignon goûté sur place est tout simplement exquis, le bleu de Gex est fin et racé, le reblochon de chèvre, «le petit fiancé des montagnes», est comme un jeune fiancé : superbe… Les tommes, les cantals, les chèvres et les mimolettes sont tout aussi remarquables. La plupart de ces fromages sont affinés dans les caves du XIIᵉ siècle de la boutique de l'île Saint-Louis. Ça va de pair : la boutique est bien tenue et l'accueil adorable.

Dans le panier : un bleu de Termignon et un gaperon fermier.

➤➤ **Adresse :** 1 rue du Retrait. M° : Gambetta. Tél. : 01 43 66 64 60.

 Prix : bleu de Termignon 200 g 8 €, demi-reblochon de chèvre 17 €.

(?) **Quand ?** Du mardi au vendredi de 7 h 30 à 13 h et de 15 h à 19 h 30 ; le samedi de 7 h 30 à 19 h 30 ; le dimanche de 7 h 30 à 12 h 30.

BRÛLERIE DE JOURDAIN

✂ Torréfacteur

Une toute petite boutique familiale de 1955 torréfie ses grains et les propose derrière un grand comptoir à l'ancienne. Douze arabicas classiques, du Brésil, du Mexique, de Colombie… et des mokas Djimmah, Bedd Buna, Sky Bury pour les amateurs. Des thés verts, de Ceylan, Earl Grey, Tarry, Prince Orlov, Assam… et des miels des Pyrénées, d'acacia, d'eucalyptus, de châtaigner, de bruyère et de romarin complètent la sélection.

 Dans le panier : des mokas et des thés.

➤➤ **Adresse :** 140 rue de Belleville. M° : Jourdain. Tél. : 01 47 97 92 77.

Prix : pour 250 g de café moulu, le mélange à la demande 4,50 € ;
le moka Djimmah 4,15 € ; le Bedd Buna 8,95 € ; le Sky Bury 7,95 €

Quand ? Du mardi au samedi de 10 h à 13 h et de 16 h à 19 h 30 ;
le dimanche de 10 h à 13 h.

INDEX THÉMATIQUE

•